彩图版李毓佩数学故事系列

数学小眼镜（彩图版）

李毓佩 著

湖北长江出版集团 湖北少年儿童出版社
HUBEI CHILDREN'S PRESS

目录

数学小眼镜

数学小眼镜历险……………1

被时间大鹰抓走了……………2
不让听课……………4
四眼怪物……………7
相亲相爱……………10
绝食自杀……………13
血染沙盘……………16
小眼镜除妖……………19
勇闯金字塔……………22
巧测高度……………25
几块骨片……………28
数学表……………31
谁绕着谁转?……………34
四手之神……………37
毁灭之神……………40
黑蛇钻洞……………43
一筐芒果……………46
勾股先师……………49

目录

数学小眼镜

前人有误 …… 52
割圆高手 …… 55
掉进河里 …… 58
路遇诗仙 …… 60
回归现代 …… 63

古堡里的战斗 …… 66

武士把门 …… 67
古棺之谜 …… 70
过铡刀关 …… 73
小金字塔 …… 76
连滚带爬 …… 79
真假国王 …… 82
巧过陷阱 …… 84
大放光明 …… 87
开启宝箱 …… 90
捉拿盗贼 …… 92

黑森林历险 …… 95

智擒人贩子 …… 96

目录

数学小眼镜

右手提野兔的人 …… 101
蚂蚁救黑蛋 ……… 106
中了毒药弹 ……… 111
梯队进攻 ……… 116
与狼同笼 ……… 121
逃离地堡 ……… 130
夺枪的战斗 ……… 135
秘密武器库 ……… 140
活捉"黑狼" ……… 145

沙漠小城的奇遇 ……… 150
神秘之门 ……… 151
沙漠之城 ……… 153
过桥难题 ……… 155
穿皮袄的人 ……… 158
沙漠之英 ……… 160
堆积如山 ……… 163
吃草面积 ……… 166
遗产的分法 ……… 169
屋里有鼠 ……… 171

目录

数学小眼镜

蛇和老鼠 …… 173
掉进陷阱 …… 175
难摘的猎枪 …… 177
不能饿死 …… 179
水管出水 …… 182

李毓佩数学故事系列

数学小眼镜历险

LI
YU
PEI
SHU
XUE
GU
SHI
XI
LIE

被时间大鹰抓走了

BEISHIJIANDAYINGZHUAZOULE

本名叫做王欢，由于从小酷爱读书，把眼睛看近视了，戴了一副黑边眼镜，人送外号“小眼镜”。小眼镜是个数学迷，他非常钦佩古代数学家，总幻想着能有一天返回到古代去，见见这些数学圣人。

学校放假了。一天，小眼镜在外面玩，忽然，天空中响起一声凄厉的鹰啸，小眼镜抬头一看，只见一只硕大无比的雄鹰从天而降，一双铁钩般的鹰爪直向他抓来。

“大鹰抓我啦！”小眼镜吓得掉头就跑，可是来不及了。大鹰一只爪子抓住小眼镜的皮带，另一只爪子抓住他的衣领，把他提到了半空。

小眼镜在空中连蹬带踢，高叫：“我又不是小鸡，你抓我干什么？”

大鹰突然开口说话了，它说："我是时间大鹰，我是一只神鹰。我可以带着你飞回到古代的任何时候，见到你想见的任何一位古代数学家。"

"神了！"小眼镜一听，脱口就说，"我就想见见这些大数学家。"他接着又说："你这样抓住我飞太受罪了，能不能让我骑着你飞呀？"

"可以。"时间大鹰双爪一放开，一声长鸣，像箭一样地俯冲下来，一下子就到了小眼镜下面，小眼镜稳稳地跌落在大鹰的背上。

时间大鹰叮嘱说："你坐稳了，我要带你到两千多年前的希腊去，见见大数学家毕达哥拉斯，他是公元前6世纪的人。"

小眼镜只觉得两耳生风，也不知飞了多长时间，时间大鹰终于开始下降了，小眼镜看见下面有一个像靴子一样的半岛，在踢一只足球状的小岛。小眼镜认识："这不是意大利吗？前面那只'足球'是西西里岛呀！"

大鹰说："对，古代意大利的一大部分属于古希腊，毕达哥拉斯就住在这儿。"

大鹰平稳地降到地面，小眼镜看见一个古代希腊人坐在地上摆弄小石子玩。

大鹰说："他就是毕达哥拉斯。"

小眼镜想："大数学家怎么玩起小石子了呢？"

不让听课

BURANGTINGKE

小眼镜走上前去问："大数学家毕达哥拉斯，你怎么和小孩一样玩起小石子了？"

毕达哥拉斯严肃地说："这摆小石子的学问可大啦！你来看，我摆的是三角形数。"

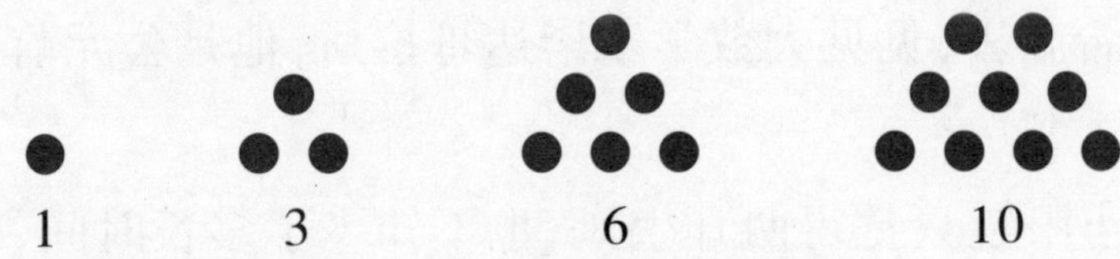

小眼镜说："这有什么学问？"

毕达哥拉斯指着石子说："你把任意相邻的两堆石子数相加，看看会得到什么？"

$1+3=4=2^2$；$3+6=9=3^2$；$6+10=16=4^2$。

小眼镜算完以后笑了："嘿，真好玩！它们相加正好等于一个自然数的平方。"

4　　9　　16

“你看，把相邻的两堆石子拼在一起，正好得到正方形数。”毕达哥拉斯像变魔术一样摆出了三个正方形数。

小眼镜看上了瘾，问：“你能不能再给变一个形状？”

毕达哥拉斯站起来拍了拍手上的土说：“你在这儿自己摆着玩吧！我要去讲课了。”说完朝一个大山洞走去。

“大数学家讲课，那我可要听听！”小眼镜跟着就跑。

“站住！”一个拿长矛的青年拦住了他。

小眼镜说：“我要听课。”

青年人非常严厉地说：“出示证件！”

小眼镜没听课证，只好站在门口等机会溜进去。

听课的古希腊人陆陆续续进场了。小眼镜发现他们也没有听课证，只不过到门口举一下右手，守洞口的青年就放他们进去。

“有了，举一下右手就成，不需要听课证。”想到这儿小眼镜举起右手就往里走。

“站住！”

拿长矛青年又一次把他拦住。

小眼镜生气了，他嚷嚷道："他们举起右手就让进，我举起右手，为什么就不让进？"

青年人回答："你不是毕达哥拉斯学派的人！你手心上没有标记！"

"手心上还要有标记？我倒要看看他们手心上有什么标记。"小眼镜想了一个主意，他向一个来听课的古希腊人，主动伸出右手说："你好！"那个古希腊人微笑着点点头，也伸出了右手。

"啊，看清楚啦！"小眼镜急忙掏出圆珠笔，在手心上画了一个漂亮的几何图形。

你知道小眼镜画的是什么图形吗？

SIYANGUAIWU 四眼怪物

小眼镜用圆珠笔在右手心画了一个红五角星，然后举起右手，顺利地走进了山洞。小眼镜这才想起来了，红五角星是毕达哥拉斯学派的派徽。红五角星象征着光荣和不可战胜。

洞里已坐满了听讲的古希腊人，小眼镜坐到了后面。他近视，从书包里取出眼镜戴上，啊，看清楚了！毕达哥拉斯正在讲课。

毕达哥拉斯手拿一把三弦琴，说：“我先讲音乐和数学的关系。这里有一把三弦琴，三根弦的长度如果不符合数学规律，我弹一下你们听听。”他拨动琴弦，发出“叮叮咚咚”的噪音，很难听。听讲的人大喊：“啊呀，难听死啦！”毕达哥拉斯把三根弦的长度调整了一下，又弹了起来，三弦琴发出“哆—咪—嗦”非常悦耳的声音。

听讲的人欢呼：“好听，真好听！”

毕达哥拉斯说：“当我把三根弦的长度调成$1:\frac{4}{5}:\frac{2}{3}$时，它就好听啦！音乐只有和数学结合起来，才会产生优美的旋律！”说着他用三弦琴奏出美妙的乐曲。所有听讲的古希腊人和着乐曲，跳起了舞，边跳边喊："好听极了！和谐极了！音乐万岁！数学万岁！”

“请安静！”毕达哥拉斯举起双手说，“我下面要讲美术和数学的关系。你们知道一个人的身材长成什么比例，才最美吗？”

大家齐声回答：“不知道！”

毕达哥拉斯说：“我们找一个长得最美的人上来，把他各部分量量，算一下，你们就明白了。你们看看谁最美，请他上来。”

下面鸦雀无声，大家互相看，看谁长得最美。一个古希腊人看见了戴眼镜的小眼镜，吓了一跳。他大叫：“你

们看，这里有一个四眼怪物！”

毕达哥拉斯说：“把那个四眼怪物带上来！”几个古希腊人连推带拉，把小眼镜推上了讲台。

“把他的衣服扒下来！”毕达哥拉斯一声令下，上来两个古希腊人强行把小眼镜的衣服扒下，只留了一条裤衩。他们用手腕当尺，测量他的身体：身长 4 腕尺，从肚脐到脚底 2.47 腕尺，从肚脐到膝盖 1.526 腕尺。

毕达哥拉斯做了两个除法：

$$\frac{\text{从肚脐到脚底的长度}}{\text{身长}} = \frac{2.47}{4} = 0.6175；$$

$$\frac{\text{从肚脐到膝盖的长度}}{\text{从肚脐到脚底的长度}} = \frac{1.526}{2.47} = 0.6178。$$

他兴奋地一拍桌子说：“这两个数都是黄金数！”

相亲相爱

XIANGQINXIANGAI

毕达哥拉斯兴奋地说："这两个都是黄金数，我们就取它为0.618！再量量，这个四眼怪物身上还有没有黄金数！"

两个古希腊人连量带算得出：

$$\frac{眉毛到脖子的长度}{头顶到脖子的长度}=\frac{鼻尖到脖子的长度}{眉毛到脖子的长度}=0.618$$

"嗯。"毕达哥拉斯点点头说，"这个少年的身材符合最优美的比例，他是一个美少年！"

下面议论纷纷："这个四眼怪物，原来是一个标准美少年！"

毕达哥拉斯又开始讲课："爱与美的女神维纳斯，她身体各部分的比就是0.618；伟大的巴台农神庙，它的高和宽的比也是0.618。凡是美的地方都离不开黄金数——0.618！"

听课的人齐声高呼："伟大的0.618！黄金数万岁！"

小眼镜摇摇头说："什么都喊万岁，真怪！"

毕达哥拉斯拉住小眼镜，问："你是我们的朋友吗？

220，请你回答！”

“220？”小眼镜一听就傻了，他信口回答：“治外伤的红药水，也叫二百二十。”

毕达哥拉斯两眼一瞪，大叫：“这个小孩不是我们的朋友！快给我拿下！”话音刚落就走上来两个又高又壮的古希腊人，要捉小眼镜。

小眼镜大喊：“时间大鹰快救命啊！”一声鹰叫，时间大鹰破门而入。

时间大鹰在小眼镜耳边说了两句。小眼镜提高嗓门儿说：“你说 220，我回答 284。”

毕达哥拉斯立刻跑上前，热情拥抱小眼镜说：“220 和 284，我们是一对好朋友！”

“这是怎么回事？”小眼镜给弄糊涂了。

时间大鹰解释说：“284 共有 5 个真因数——1、2、

4、71、142。把它们相加：1 + 2 + 4 + 71 + 142 = 220，正好等于220；反过来220共有11个真因数，把它们加起来正好等于284。220和284这两个数你中有我，我中有你，叫做相亲数。意思是相亲相爱，永不分离。”

小眼镜说：“他们一会儿扒我衣服，一会儿又相亲相爱，我有点受不了。大鹰，你带我走吧！”

“走？”毕达哥拉斯两眼一瞪说，“你必须先发誓，不把这里的一切告诉别人，才可以放你走！”

“对谁发誓？”小眼镜问。

毕达哥拉斯双手高举，仰面朝天虔诚地说：“整个宇宙是建立在前四个奇数和前四个偶数基础之上的，你对着伟大的36发誓吧！”

“36？这36又是哪儿来的？”小眼镜不明白。

绝食自杀
JUESHIZISHA

毕达哥拉斯要小眼镜对36发誓。小眼镜开始还不明白，后来突然省悟到其中的道理：正整数前四个奇数是1、3、5、7；前四个偶数是2、4、6、8。把它们相加就等于36。

$$36=(1+3+5+7)+(2+4+6+8)。$$

36包含了整个宇宙！

小眼镜飞身骑上时间大鹰，对毕达哥拉斯说："大数学家，对不起，我从来不发誓，再见啦！"大鹰驮着小眼镜"呼"的一声飞出了屋子。

时间大鹰在天空中翱翔，下面是美丽的地中海，小眼镜知道这是朝南飞。没过多会儿，就看到了非洲大陆，下面一座雄伟的建筑吸引了小眼镜。

小眼镜问："这是什么地方？"

大鹰说："这是两千多年前的亚历山大图书馆，它是当时最大的图书馆，藏书几十万卷。"

大鹰徐徐降落在亚历山大图书馆前，小眼镜看到一个骨瘦如柴的老人坐在门口。他双目失明，手中拿着一个写满数字的羊皮纸，嘴里不停地说着什么，旁边还放着几碗食物，一个王子打扮的青年垂手站在旁边。

小眼镜走过去好奇地问那位青年："这位老人是谁？他怎么啦？"

青年用手擦了擦眼泪，说："我是亚历山大王国的王子。这位老人是大数学家埃拉托塞尼，他是我的老师，也是这座图书馆的馆长。"

小眼镜又问："他怎么这么瘦啊？你多给老师吃点好的呀！"

“唉！”王子先叹了一口气，接着泪如雨下地说，“我的老师曾说，他活着就是为了工作。可是不久前他双目失明了，觉得自己不能工作了，活在世上也无用，非要绝食自杀不可！”

“啊！”小眼镜赶忙上前劝说埃拉托塞尼，可是劝说无效。老人把手中的羊皮纸交给了小眼镜，说：“这是我发明的寻找质数的方法，叫筛法。先把 1 划掉，再把所有 2 的倍数划掉，再把所有 3 的倍数划掉，这样划下去，就像用筛子筛石头一样，最后剩下的就是质数了。”

小眼镜拉住老人的手叫道：“你不能饿死呀！”

~~1~~ 2 3 ~~4~~ 5 ~~6~~ 7 ~~8~~ ~~9~~ ~~10~~

11 ~~12~~ 13 ~~14~~ ~~15~~ ~~16~~ 17 ~~18~~ 19 ~~20~~

~~21~~ ~~22~~ 23 ~~24~~ ~~25~~ ~~26~~ ~~27~~ ~~28~~ 29 ~~30~~

“不，我决心已定。我托你一件事。”埃拉托塞尼从怀中掏出一封信交给小眼镜，“请你将这封信带给我的好朋友阿基米德，他住在西西——里——岛。”说到这儿，老人头一歪就离开了人世。

小眼镜擦干了眼泪，骑上大鹰说：“走，咱们去西西里岛，去找阿基米德。”

血染沙盘

XUERANSHAPAN

时间大鹰驮着小眼镜来到了西西里岛的叙拉古城。这里正在进行一场大战，古罗马士兵在进攻叙拉古城，一队队战船挂满了风帆向叙拉古城驶去。突然，从城里飞出许多大块石头，砸沉了好几条战船。但是，更多的古罗马战船迎着落下来的大石头，继续向城墙逼近。

忽然，小眼镜眼前一亮，只见城墙上站了一长排妇女，每人手里都拿一面古镜，用镜子把太阳光反射到战船的风帆上。没过多久，风帆纷纷着火，古罗马的战船败退下去。

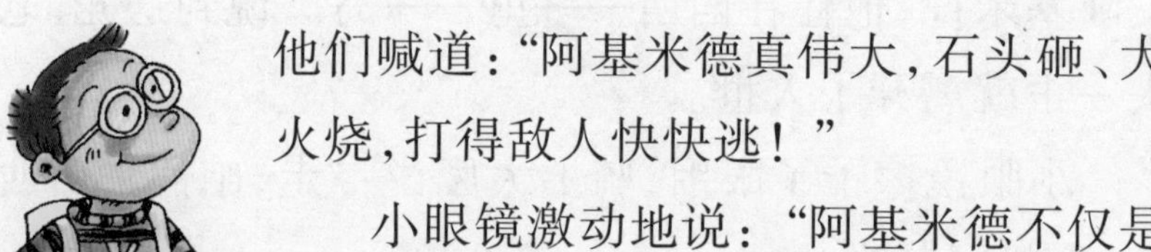

“好啊！敌船逃跑了！”叙拉古城的居民欢呼跳跃。他们喊道：“阿基米德真伟大，石头砸、大火烧，打得敌人快快逃！”

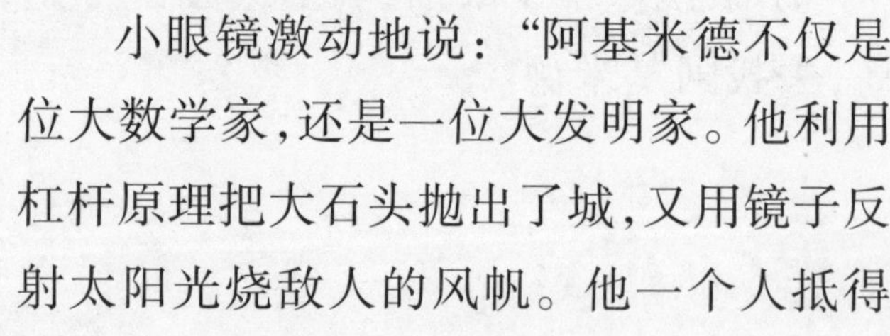

小眼镜激动地说：“阿基米德不仅是位大数学家，还是一位大发明家。他利用杠杆原理把大石头抛出了城，又用镜子反射太阳光烧敌人的风帆。他一个人抵得

上千军万马,真了不起!”

时间大鹰在一间屋子前徐徐降落,说:“小眼镜,你进去吧!阿基米德就在里面。”

小眼镜推门进去,见一位老人正在一张沙盘前连说带画地工作着。阿基米德抬头看见小眼镜进来了非常高兴,对他招招手说:“小朋友,你快来,我发现了一个重要的几何定理。”

阿基米德指着沙盘上画的一个图,说:“这是一个圆柱体,里面恰好装上一个圆球,我发现这个球的体积恰好是圆柱体体积的三分之二;球的表面积也恰好是圆柱体表面积的三分之二。”

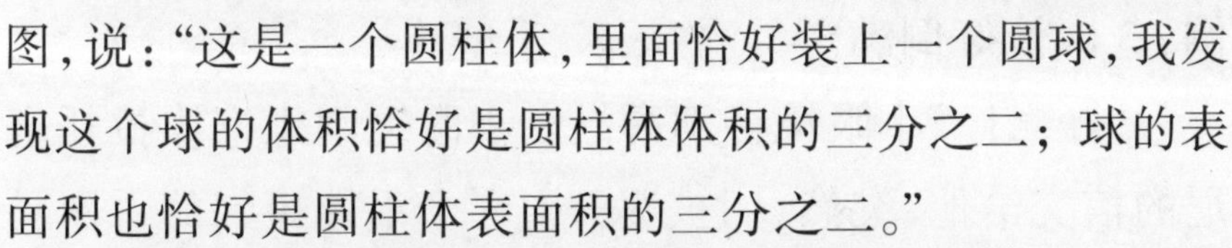

“真有这样巧的事?”小眼镜觉得很新鲜。

阿基米德拿出一套模型,是一个圆柱形的桶和一个圆球。他对小眼镜说:“我考考你。我把半个球装满沙子,往这个圆柱桶里倒。我几次倒满,就能说明球的体积是圆柱形体积的三分之二呢?”

“嗯……”小眼镜想了想说,“整个球的体积占圆柱的$\frac{2}{3}$,半个球就占$\frac{1}{3}$呗!对啦,如果 3 次倒满就能说明问题。”

“你看着吧。”阿基米德用半个球盛沙子,往圆柱桶里

倒，3 次恰好倒满。

“好啊！”小眼镜特别高兴。小眼镜刚想把埃拉托塞尼的信交给他，突然，门被踢开。一个手持短剑的古罗马士兵气势汹汹地走了进来，一脚踩在沙盘上。

阿基米德气愤地叫喊：“混小子！你踩坏了我沙盘上的图形。”

古罗马士兵大怒，一剑刺进了阿基米德的左胸，数学家倒下了，鲜血染红了沙盘。

小眼镜扑在阿基米德身上痛哭，然后把他安葬在一棵树下，墓前立了一块墓碑。墓碑上写点或画点什么好呢？

XIAOYANJINGCHUYAO 小眼镜除妖

小眼镜埋葬了阿基米德,在墓碑上刻了一个图:一个圆柱里装着一个球。以此纪念阿基米德一生中最后一个伟大发现。

时间大鹰见小眼镜十分悲伤,就问:“你有胆量吗?我带你到古希腊的克里特岛去除妖。”

“除妖?”小眼镜十分惊讶。

“对。克里特岛上有一座迷宫,迷宫里藏着一个吃人怪物,它长得半人半牛。凡是进入迷宫的人都会被它吃掉。”时间大鹰看着小眼镜问,“你敢去除掉它吗?”

“走吧!咱们去为民除害!”小眼镜骑上大鹰直奔克里特岛。

小眼镜要除妖的消息惊动了克里特岛的居民。一位老人献出斩妖剑,一位少女拿出一团线绳,把线团的一端拴在迷宫门口的小树上,线团放在小眼镜的口袋里,让他放着线走进迷宫。

小眼镜手提斩妖剑勇敢地走进了迷宫,他边走边放线

边寻找，终于在迷宫深处找到了牛头人身的怪物。小眼镜和怪物展开了激烈的搏斗。

打了有一顿饭的功夫，战了个平手。

怪物说："停一停。这样打下去太浪费时间。我出个问题你来回答，答对了我就放你出去，答错了我就吃掉你。"

小眼镜想了想说："好吧，你出题。"

怪物瞪着两只大牛眼，恶狠狠地说："你来回答，'我会不会吃掉你？'"

"嗯……"小眼镜想了一下说："你会吃掉我的。"

小眼镜出乎意料的回答，使怪物愣住了，它自言自语地说："如果我把你吃掉，就证明你答对了，你答对了，我

就应该放了你；如果我把你放走，又证明你答错了，答错了就应该吃掉你。哎呀！我到底应该吃掉你呢，还是放了你？”

小眼镜趁怪物犹豫不决的时候，对准怪物的心脏猛刺一剑。“啊！”怪物大叫一声，“轰”的一下倒在地上，蹬了两下脚就没气了。

小眼镜顺着放的线又回到了门口。克里特岛的居民将小眼镜当作了英雄，把他高高抬起，绕岛一周。

送斩妖剑的老人突然提了一个问题，他说：“如果小眼镜当时回答‘你不会吃掉我的’将会发生什么事情？”

勇闯金字塔

YONGCHUANGJINZITA

给小眼镜送线团的少女，回答了老人的问题："如果小眼镜回答'你不会吃掉我的'，怪物将一口吃掉小眼镜。怪物会说，'看，回答错了吧！你回答不会吃掉你，我偏偏吃掉你。'"大家都称赞小眼镜回答得妙。

时间大鹰载着小眼镜向东南方向飞去，下面的一座大金字塔吸引了小眼镜。小眼镜叫道："到了古埃及了，我要下去看金字塔。"时间大鹰缓缓落在地上。

小眼镜围着金字塔转了一圈，也没找到入口。他自言自语地说："这入口在什么地方？"

突然，金字塔前的狮身人面像说话了。他说："进金字塔可是件很危险的事，只有靠出色的数学才能和足够的勇气，才能闯过难关进入金字塔。"

小眼镜坚定地说："我既会数学又有勇气！"

"好吧。你俯耳过来。"狮身人面像小声地把开门的咒语告诉了小眼镜。小眼镜念着咒语，金字塔底部开了一个小门儿。

小眼镜刚刚走进去，只听“轰”的一声，门又重新关上，里面漆黑一片。小眼镜摸索着往前走，拐过一个弯儿，看见一点光亮，他定睛一看，是一盏油灯，油灯旁还坐着一个披黑袍的老太婆。

“啊，有鬼！”小眼镜吓得扭头就跑。

“站住！”老太婆说，“门都关上了，你往哪里跑呀？你的勇气呢？你的决心呢？”

小眼镜也暗骂自己没出息，他镇定一下问：“你是什

么东西？”

老太婆不高兴了。她说：“我是什么东西？你真不会说话！我是金字塔的守护神。”

小眼镜问:“能放我出去吗?”

“可以。不过,你先要给我算一个数。这个数我算了一千多年了,也没算出来。”老太婆拿着油灯走到一面墙前,小眼镜看到墙上画的图形,小眼镜问:“这是什么呀?又有小鸭,又有小老虎?”

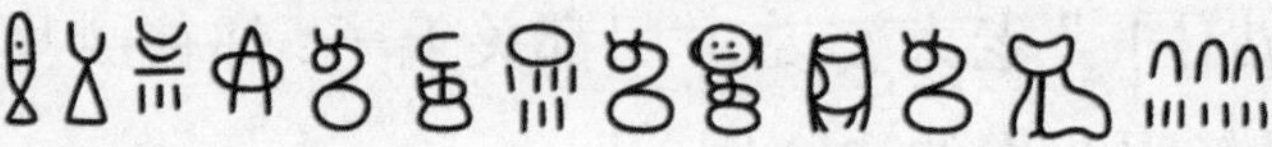

老太婆说:“这是古埃及的象形文字,我念你写:最左边的三个符号表示未知数和乘法,第四个符号表示$\frac{2}{3}$,小鸭子表示加号……”

小眼镜按老太婆所说,列出一个方程式:

$$x\left(\frac{2}{3}+\frac{1}{2}+\frac{1}{7}+1\right)=37$$

小眼镜解出 $x\approx\frac{1554}{97}$。

老太婆问:“算得对吗?算对了,你就可以出去;算错了,你将留下来和我一起守护金字塔!”

巧测高度

QIAOCEGAODU

小眼镜算得没错，大门打开了，他逃出了金字塔，他抹了一把头上的汗说：“真吓人啊！”他看见有一大群人看告示，也凑了过去。

告示上的字他不认识，他捅了一下前面的中年人，问：“这上面写的什么呀？”

中年人头也不回，说：“埃及法老，也就是我们埃及的最高统治者阿美西斯，在寻求天下最聪明的人。”

小眼镜眨了眨眼睛问:“什么人最聪明?”

中年人说:“告示上说,谁能测量出这座金字塔的高度,谁就是世界上最聪明的人。”

忽然,一个留着胡子的希腊人,分开众人走到告示前,一把将告示扯下来,对旁边的官员说:“带我去见法老!”

官员把这个希腊人带到法老阿美西斯面前,小眼镜也跟着去看热闹。

法老问:“你是哪儿人?叫什么名字?”

希腊人答:“我是希腊人,叫泰勒斯。”

法老又问:“你测金字塔高,需要什么工具?”

泰勒斯回答:“1根木棍和1把尺子。”

法老吃惊地看了他一眼问:“什么时候测量?”

“我要等一个特殊的日子。”说完泰勒斯拿起木棍和尺子来到金字塔前。他把木棍直立在金字塔旁,又用尺子测量了木棍高和它的影长。

泰勒斯对官员说:“今天不成,我明天再来。”然后到附近的旅店休息去了。

第二天,泰勒斯又测量了木棍的影子,摇摇头说:“今天也不成。”转身又回旅店休息。

一连几天,泰勒斯都说没到那个特殊的日子。看热闹的人开始议论了,有人怀疑:这个希腊人泰勒斯是不是骗子?

一名希腊商人一本正经地说："你们可别瞎说。泰勒斯是我们希腊的圣人，被尊为七贤之首，是个了不起的聪明人。"

又一天，泰勒斯量完木棍的影长，高兴地跳了起来，他拍着小眼镜的肩头说："这个特殊时刻终于来到了！"

泰勒斯用尺子测量了金字塔正方形底座的一边长，取其一半长；然后又量出金字塔在地面上的影长，做了个加法。泰勒斯郑重宣布："这座金字塔高 147 米。"

几块骨片

JIKUAIGUPIAN

埃及法老阿美西斯，对泰勒斯量出的金字塔高度表示怀疑。

法老问："你怎么肯定金字塔高是147米呢？"

泰勒斯答："我所等待的特殊的日子，是木棍的影长等于木棍长的那天。在这一天，金字塔的影长也应该等于金字塔的高。可是金字塔是个正四棱锥，只能测得部分影长 a，再加上底边长的一半 b，正好是147米。"

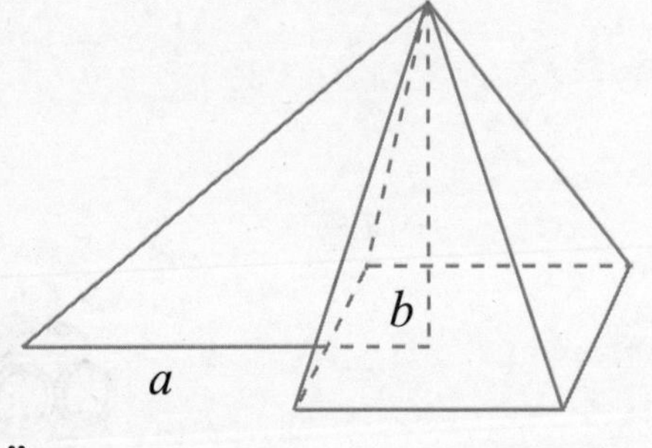

"因此，这座金字塔的高为147米。好，是个聪明人！"法老竖起大拇指夸奖泰勒斯。

小眼镜问泰勒斯："喂，聪明人，下一步你准备到哪儿去？"

泰勒斯想了一下，说："我准备去非洲西部考古。"

"我也去。"小眼镜和泰勒斯每人骑一匹马，飞快地向

前奔驰，时间大鹰在空中跟着他俩往前飞。走了很长的时间，来到一个湖畔。

泰勒斯说："咱们就在这儿考古。"

小眼镜看着这块陌生的地方，问："这是哪儿？"

时间大鹰说："在你生活的时代，这个地方是刚果的爱德华湖。"

泰勒斯在湖畔不停地挖。突然，他大叫："小眼镜，你来看这是什么？"

小眼镜跑过去一看，泰勒斯手里拿着两块经过磨制的骨头片，这两块骨头片边缘都刻着许多道刻痕。其中一块骨片上有 7 组刻痕，它们是 3 、6 、4 、8 、10 、5 、5 。其中 3 和 6 靠得很近，隔一段是 4 和 8 ，然后是 10 和两个 5 。

泰勒斯问:“你知道这是什么意思吗?”小眼镜摸着后脑勺想了一会儿说:“这 3 和 6 靠得这样近,是不是说明 6 是 3 的二倍?”

“对,对,”泰勒斯高兴地说,“6 是 3 的二倍,8 是 4 的二倍,10 等于 5 加 5 。”另一块骨片的左侧刻有 11 、21 、19 和 9(如右图)。

左侧	右侧
11	11
21	13
19	17
9	19

小眼镜望着这 4 个数两眼一个劲儿发直,过了一会儿,他一拍脑袋大叫:“我知道了!它们说明了一种关系。”说完在地上写出:10 + 1 = 11 ,20 + 1 = 21 ,20 - 1 = 19 ,10 - 1 = 9 。

“嗯,不错!”泰勒斯指着右侧的 4 组刻痕问,“这右边刻的 11 、13 、17 、19 又是什么意思呢?”

“这……”小眼镜一时傻了。

数学表

SHUXUEBIAO

小眼镜想了想，指着 11、13、17、19 这 4 个数说：“我知道了，这是 10 与 20 之间的所有质数。”

泰勒斯惊奇地望着小眼镜说：“后生可畏！你比我还聪明。孩子，我建议你去巴比伦，那里的数学可棒啦！”

"好，我去巴比伦。"小眼镜骑上时间大鹰，对泰勒斯说："再见啦！古希腊的大数学家。"泰勒斯微笑着对他挥手告别。

时间大鹰载着小眼镜向东北方向飞去。时间大鹰告诉小眼镜，那两块骨头片是公元前9000年，非洲人使用的骨具。

小眼镜惊讶地说："这么说，在一万多年前，人类就知道质数啦！真了不起！"

时间大鹰在一座城市降落。小眼镜问："这就是巴比伦？"

时间大鹰点点头说："这就是古代巴比伦城，现在在伊拉克境内。你随便走走吧！"小眼镜漫步在两千多年前的古巴比伦城，心里十分激动。他看见一个中年男子，手拿木棍在一块泥板上刻着什么。他拿的木棍有一个三角形尖头，他用这个尖头在泥板上一会儿横按，一会儿竖按，按出许多三角形的小坑。

小眼镜问："这是什么呀？"

中年人答："是数学表。"

"数学表？"小眼镜心想，

“我怎么不认识这个表呢？”

小眼镜就是好动脑筋，他边看边琢磨，终于搞明白了。原来记号▽表示 1，记号◁表示 10，小眼镜脱口而出：“这是一张乘法表！第一行是一九得九，接下去是二九一十八，左边的记号◁是 10，右边 8 个▽叠成三行就是 8，加在一起不是 18 嘛！下面是三九二十七，四九三十六呀！”

中年人竖起大拇指说：“说得对！小伙子，你数学蛮不错呀！”

突然有人大声喊道：“谁的数学蛮不错呀？”小眼镜回头一看，来了 10 个长得很像的壮汉。

为首的一个壮汉说：“我们兄弟 10 个分 100 两银子，要求一个比一个分得多，我是老大应该分得最多。任何两个相邻的兄弟所差的银子要一样多，只知道老八分 6 两，你给我们其余 9 个兄弟算算，每人该分多少两。”

另一个壮汉一撸袖子说：“算不出来，别怪我们不客气！”

“哪有这样蛮不讲理的，还非算出来不可？”小眼镜为分银子的事动着脑子。

谁绕着谁转？

SHUIRAOZHESHUIZHUAN

小眼镜被古巴比伦城的 10 兄弟围着，非要他把 100 两银子分开，否则要揍他。

小眼镜数学好，并不怕他们的威胁。小眼镜说：“我

以老十做基数，并把相邻两兄弟所差的银子设为 a，这样老大比老十多 $9a$，老二比老十多 $8a$……老九比老十多 a。”

老大很不耐烦，他说：“我要你算出每人分多少银子，你说那么多 a 干什么？”

“你别着急呀！”小眼镜说，“根据我的分析，应该有这种关系。”他写出：老大与老十共得银两 = 老二与老九共得银两 = 老三与老八共得银两 = 老四与老七共得银两 = 老五与老六共得银两 = $\frac{100}{5}$ = 20（两）。

小眼镜又说：“已经知道老八得 6 两银子，由于老三和老八共得 20 两，所以老三得 20 - 6 = 14 两。而老三比老八多 5 个 a，老三比老八多得 14 - 6 = 8 两，所以，a = 8 ÷ 5 = 1.6 两。求出 a 来就全能求了。”

小眼镜写出：老八 6 两，老七得 6 + 1.6 = 7.6 两，老九得 6 - 1.6 = 4.4 两。接着给他们兄弟 10 个从老大开始，排了个表：

17.2，15.6，14，12.4，10.8，9.2，7.6，6，4.4，2.8

兄弟 10 个把 100 两银子分完，都满意地笑了。为了奖励小眼镜，给了他一张票，让他去听大数学家讲演。

小眼镜走进一间大屋子，屋里坐满了人，一个又矮又胖的数学家站在讲台上正在发表演说：“大家知道吗？一个周角等于 360 度，每一度合 60 分，每一分合 60 秒，这是我们巴比伦人规定的，是我们巴比伦人的骄傲！”

听到这里，小眼镜向数学家提了个问题："请问，你们为什么规定一个周角等于360度呢？"

"你这个问题提得好。"数学家解释说，"因为太阳绕着地球在不停地转动。"

"嗯？太阳绕地球转？"小眼镜一愣。

数学家又说："太阳绕地球一圈儿是一年，而一年有360天。"

"嗯？一年有360天？"小眼镜又一愣。

数学家说："我们把太阳在一天里转过的圆心角规定为1度的角。"

"不对，不对。你讲的有问题。"小眼镜站起来大声叫道。

SISHOUZHISHEN

四手之神

小眼镜告诉古巴比伦数学家，地球应该绕着太阳转，一年应该是 365 天 5 小时 48 分 46 秒。

这位又矮又胖的数学家大怒，他指着小眼镜叫道："把这个胡言乱语的小孩抓起来！"几个古巴比伦人上来就抓小眼镜。

小眼镜一看不妙，撒腿就往外跑，边跑边喊："我比你们晚生 2000 多年，你们对 2000 年后的科学当然不懂啦！"

不好，几个巴比伦人眼看就要追上小眼镜了。突然一声鹰叫，时间大鹰闪电般俯冲下来，抓起小眼镜直冲云霄。

小眼镜抹

了把头上的汗,说:“好悬啊!”

时间大鹰说:“我带你去古代印度吧!”小眼镜高兴地点了点头。

印度有许多庙宇,小眼镜一踏上这著名的佛教圣地就跑进一座庙,他看见庙里供奉着一尊神像。这尊神像很特别,他长有 4 只手。这 4 只手分别拿着莲花、贝壳、铁饼、狼牙棒。

小眼镜自言自语地问:“这是什么神?”

突然,这个 4 手神开口说话了。它说:“我叫哈利神。其实我还可以有许多名字,按照佛经规定,如果我手中拿的东西改变一下次序的话,我就可以有一个新名字。”

小眼镜问:“你要那么多名字干什么?”

哈利神说:“我多一个名字,就多一分道行,多一份法术。很多年以来,我一直想知道,我拿的 4 件东西可以有多少种不同的排列次序,我究竟有多少不同的名字,请你帮我算算。”

“神仙求我算,我哪敢不算。”小眼镜在地上边写边说,“排次序要讲究规律,不能乱排,看我的。”

第一只手	第二只手	第三只手	第四只手
狼牙棒	铁饼	莲花	贝壳
狼牙棒	铁饼	贝壳	莲花
狼牙棒	莲花	铁饼	贝壳

狼牙棒　　莲花　　贝壳　　铁饼

狼牙棒　　贝壳　　莲花　　铁饼

狼牙棒　　贝壳　　铁饼　　莲花

“看见了没有？让第一只手固定拿着狼牙棒不变，让其余 3 只手变花样，可以有 6 种不同的排法。如果让第一只手拿别的东西，可以有多少种排列方法，你自己动脑筋想想吧！”

说完小眼镜扭头走了出去。

哈利神在后面大喊：“别走，我还是不会算。”

毁灭之神 HUIMIEZHISHEN

尽管小眼镜把排列的规律告诉哈利神，可是这位4手大神数学不灵，还是算不出来。

小眼镜解释说："1只手固定不变，可以有6种排法，而这只手可以拿4种不同的东西，共有6×4 = 24种呀！""哈哈，我有24个不同的名字。"哈利神高兴地笑了。

小眼镜又走进一座大殿，这殿里供奉的神像更加奇特。它长有10只手。10只手中分别拿着绳子、钩子、蛇、鼓、头盖骨、三叉戟、床架、匕首、箭和弓。

小眼镜问："你是什么神？你怎么长10只手？"

神像回答："我叫湿婆神，是印度教的主神，我也是毁灭之神。你刚才给哈利神算出有24个不同的名字，你也给我算算吧！"

"啊，你有10只手，太多了，这要排到什么时候？我不算！"说完小眼镜扭头就走。

湿婆神发火了，他叫道："孩子，你算得出来要算，算不出来也要算！别忘了，我是毁灭之神。看，大门已经关

上。”只见大殿的两扇大门“呼啦”一声关上了。

“啊，大门关了，我只好给它算了。”小眼镜拍着脑袋说，“这次我可不能一个一个去排。要想个新方法。1只手拿1件东西时，只有1种拿法；2只手拿2件东西时，有2种拿法；3只手拿3件东西时，有6种拿法；4只手拿4件东西时，有24种拿法。”

湿婆神有点不耐烦：“你算出来没有？”

“你等等。这1、2、6、24四个数之间有什么规律

呢？”小眼镜发现了点什么，他写出：

一只手：1 = 1；

二只手：2 = 1 × 2；

三只手：6 = 1 × 2 × 3；

四只手：24 = 1 × 2 × 3 × 4；

五只手应该是：1 × 2 × 3 × 4 × 5 = 120。

“好啦！我找到算法了，你有10只手，一共有1 × 2 × 3 × 4 × 5 × 6 × 7 × 8 × 9 × 10种不同拿法。”小眼镜说，“我乘出来等于3628800种。”

“哈哈，”湿婆神仰天大笑，“我有三百六十二万八千八百个名字，谁比得了我！”

乘大门开了一条缝儿，小眼镜“噌”的一下蹿了出去。小眼镜摇摇头说：“这种庙可进不得，神仙总让我算题。”

突然，一条黑蛇向他爬来，吓得小眼镜拔腿就跑，而黑蛇在后面紧追不舍，怎么办？

黑蛇钻洞

HEISHEZUANDONG

小眼镜前面跑，黑蛇在后面追。一位印度老人左手提着竹篓，右手拿着一支竹笛出现在眼前。他把竹篓放在地上，用竹笛吹了一首悠扬的乐曲。黑蛇停止了追赶，它闻笛起舞，昂起头来，合着节拍左右摇摆。跳完，一头钻进竹篓里。

印度老人双手合十，对小眼镜说："小施主，你受惊了。我叫婆什迦罗，这条黑蛇是我养的，没看住，让它跑了出来。"

"啊！您就是大名鼎鼎的古代印度数学家婆什迦罗。"

小眼镜跑上前，握住老人的手问："听说您写了好几本数学书？"

婆什迦罗从口袋里掏出一本书，说："这是我刚写的，叫《丽罗娃提》。"

小眼镜好生奇怪："《丽罗娃提》是什么意思？"

"唉，说来话长。丽罗娃提是我女儿的名字。"婆什迦罗带着几分忧伤的神情说，"丽罗娃提是我独生女儿。算命先生说，如果她不在某一个吉利日子的某一时刻结婚，不幸将会降临到她头上。"

小眼镜说："那是骗人的，别信那一套！"婆什迦罗接着说："到了我女儿结婚那天，她穿戴整齐坐在'时刻杯'（古代印度以水流计时的工具）旁，等待水面下沉，等待幸福时刻的来临。谁料想，她头上的一颗珍珠从头饰上滚落下来，掉进时刻杯里，珍珠恰好堵住杯中的小孔，水不再流，时间也无法计算，结果幸福时刻过去了，女儿非常伤心。为了安慰女儿，我以她的名字命名这本书。"

小眼镜问："书中有什么好题目吗？"

婆什迦罗说："有一道关于黑蛇的题目：我的这条黑蛇是一条强有力的、不可征服的好蛇。它全长 80 安古拉（古印度长度单位），它以$\frac{5}{14}$天爬行 $7\frac{1}{2}$安古拉的速度，爬进一个洞。这条神奇的黑蛇每天还在生长，它的尾巴每天长 11 安古拉。小朋友，请你告诉我，这条黑蛇何时

全部爬进洞？”

“嘻嘻。你可会刁难人。蛇头往洞里爬，蛇尾还往后长。关键是求出二者的速度差。”

小眼镜写出：“黑蛇爬行速度是

$7\frac{1}{2} \div \frac{5}{14} = 21$；$21 - 11 = 10$；

全部进洞时间 = 80 ÷ 10 = 8（天）。

突然，一队官兵急速赶来，出了什么事啦？

YIKUANGMANGGUO
一筐芒果

跟在士兵后面的是一位骑马的古印度军官。他见到婆什迦罗，赶忙翻身下马，脱帽行礼。

军官说："伟大的数学家婆什迦罗，国王有一个数学问题请您帮助解决。"

婆什迦罗点头说："我们去见国王。"

小眼镜小声对婆什迦罗说："我也跟你去见国王行吗？"

婆什迦罗点了点头。进了王宫，看见一个外国使者献给国王一筐芒果。

国王

见婆什迦罗来了，脸上现出了微笑。国王对外国使者说："你把刚才的问题再说一遍。"

使者皮笑肉不笑地说："早听说印度是个文明古国，我们国王献给印度国王一筐芒果，国王取$\frac{1}{6}$，王后取余下的$\frac{1}{5}$，大王子、二王子、三王子分别逐次取余下的$\frac{1}{4}$、$\frac{1}{3}$和$\frac{1}{2}$，小王子取最后剩下的 3 个芒果。谁能告诉我，这筐芒果有多少个呢？"

婆什迦罗微微一笑说："贵国国王真小气，才送来 18 个芒果。"

国王命侍从当场过数，一数，不多不少正好 18 个芒果，使者眼珠一翻，问："能说说你是怎么算的吗？"

小眼镜见使者欺人太甚，挺身而出，说："这么简单的问题，何用大数学家来解，我给你算算。"

小眼镜说："我设芒果总数为1。国王取$\frac{1}{6}$，王后取余下的$\frac{1}{5}$，即$(1-\frac{1}{6})\times\frac{1}{5}=\frac{5}{6}\times\frac{1}{5}=\frac{1}{6}$；三位王子分别逐次取余下的$\frac{1}{4}$、$\frac{1}{3}$、$\frac{1}{2}$，即$(1-\frac{2}{6})\times\frac{1}{4}=\frac{4}{6}\times\frac{1}{4}=\frac{1}{6}$，$(1-\frac{3}{6})\times\frac{1}{3}=\frac{3}{6}\times\frac{1}{3}=\frac{1}{6}$，$(1-\frac{4}{6})\times\frac{1}{2}=\frac{2}{6}\times\frac{1}{2}=\frac{1}{6}$。5 个人都取完了，最后剩下$1-\frac{5}{6}=\frac{1}{6}$，小王子拿了总数的$\frac{1}{6}$是 3 个芒果，用$3\div\frac{1}{6}$，得

出总数是 18 个。”

使者上下打量着小眼镜：“看你的长相和穿着，都不像印度人。我给印度国王出题，关你什么事？”

小眼镜挺胸往前走了一步，说：“路见不平，拔刀相助！”

“好样的！”国王站起来，竖起大拇指夸奖说，“你将来会成为婆什迦罗第二，留在我的王宫吧！”

“不、不，我是中国人，我要回我的祖国。”小眼镜撒腿就往外跑。

勾股先师

GOUGUXIANSHI

小眼镜思念祖国，他让时间大鹰带他返回中国。大鹰飞了一阵降落后，小眼镜发现周围的人穿戴都很奇特。小眼镜问：“这是我国的什么年代？”

大鹰回答：“这是距离你生活的年代有 3000 多年的周朝。”

小眼镜见一个老者在地上竖起一根标杆，然后趴在地上量标杆的影长，周围还围着许多人看热闹。

小眼镜跑过去问：“老爷爷，您在这儿干什么呢？”

老者头也不抬：“我在测太阳的高度。”

“笑话！那么短的杆子，怎么能量得出太阳高度？”小眼镜不相信。

老者并不气恼，他站起来指着标杆说：“你看，这根标杆长 8 尺，它投在地面上的影长是 6 尺，算一算就能知道，太阳高 8 万里呀！”

小眼镜还是不明白，他问：“您是怎样算出来的呢？”

老者说：“今天正好是夏至。在今天，一根 8 尺高的标杆，影长恰好是 6 尺。大地是个方方的大平面，根据我的经验：标杆每向南移动 1000 里，日影就缩短1寸。”

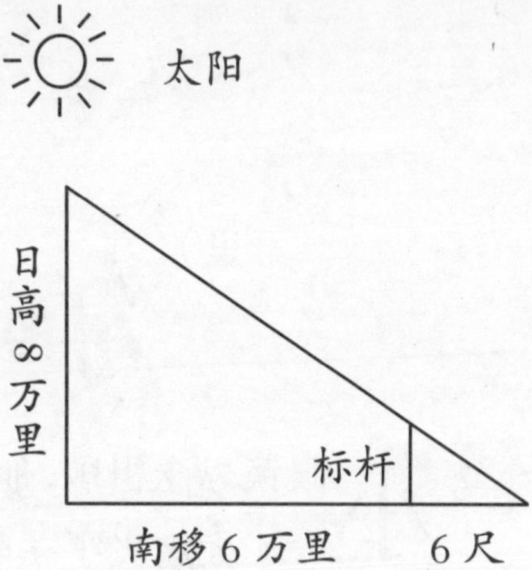

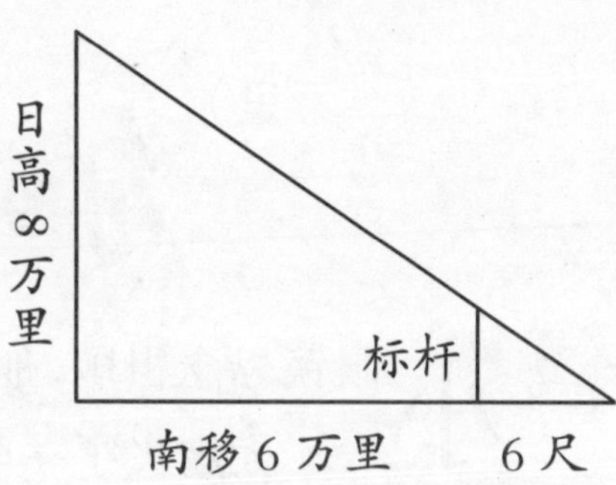

小眼镜摸着后脑勺说：“大地怎么会是方方的大平面呢？”

老者画了个图，说：“现在标杆影长 6 尺，将标杆南移 6 万里，就到了太阳的正下方了。这里有一大一小两个直角三角形，它们对应的直

角边,有这种比例关系:

$$\frac{日高}{标杆高}=\frac{标杆南移距离+标杆影长}{标杆影长},$$

日高=8(万里)。"

(在计算日高时,可把式中"标杆影长"忽略不计。)

小眼镜连连摇头说:"不对,不对。老师说,阳光到地球要走 8 分钟,光每秒走 30 万千米,那么太阳到地球的距离是 8 × 60 × 300000 = 144000000(千米)。"

突然,跳出一位全副武装的卫兵。他指着小眼镜叫道:"大胆的小孩,竟敢如此无礼,你知道这位老者是谁吗?"小眼镜摇摇头。

卫兵介绍说:"这是我们周朝的大数学家商高!"

小眼镜向老者深鞠了一躬,说:"啊,您是发现勾股定理的大名鼎鼎的商高呀,失礼了!"

前人有误

QIANRENYOUWU

小眼镜对大数学家商高说："您是我尊敬的数学家，但是地不是一个方方正正的大平面，而是一个球体，叫地球。"

"地球？"卫兵大笑说："地要是个球，我们不就从球上滑下去了吗？笑话！"

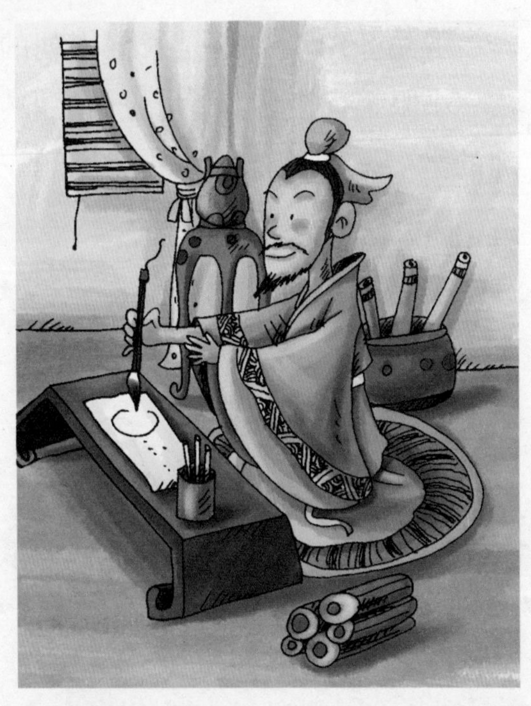

小眼镜摇摇头说："你们是搞不清楚2000年后的科学成就的。不过，商高先祖测日高所使用的数学原理是正确的。"

商高听小眼镜叫他先祖，十分奇怪。他问："小娃娃，你是哪个朝代的人？"

小眼镜说："我是

公元2005年的人,距现在晚了三千多年。"

"噢!"商高眼睛一亮。他又问:"3000年后的人,还知道我发现的勾股定理吗?"说完在地上画出一个直角三角形,写出公式:

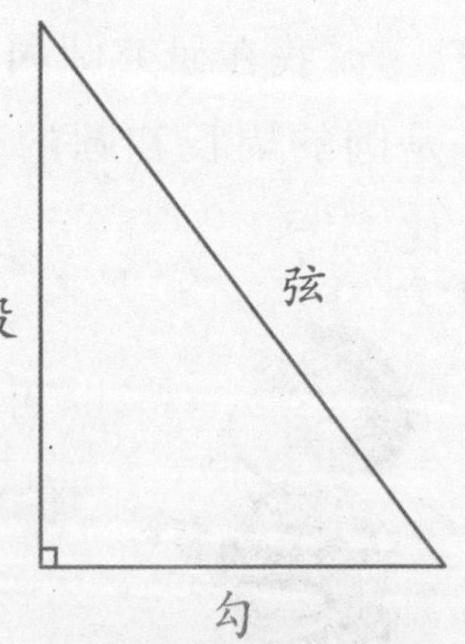

"勾^2+股^2=弦^2。"

"知道,都知道。"小眼镜说,"不但知道,这个定理还以您的名字来命名,叫做商高定理。"

商高捋着胡须,放声大笑:"哈哈,三千多年后的学子还记得我的这点贡献,我实在太高兴啦!"商高要留小眼镜小住两天,小眼镜谢绝了商高的挽留,骑上时间大鹰,继续飞行。

小眼镜问:"下一个该访问哪位数学家啦?""刘徽。他是三国时期魏国人,是古代一流的大数学家。"时间大鹰边飞边介绍。

没飞多久,时间大鹰就降落到地面。不远处有一座大宅院,大鹰说:"刘徽就住在这里面。"

小眼镜见院门大开,走进院内,见一中年人在桌上聚精会神地画着什么,小眼镜向中年人鞠躬,问道:"您就是大数学家刘徽吗?"

中年人赶忙还礼,说:"我就是刘徽,大数学家可不敢当！”

小眼镜问:“您在研究什么数学问题呀？”

“我在研究圆周率！”刘徽解释,“圆周率你懂吗？就是圆的周长和圆的直径的比。”

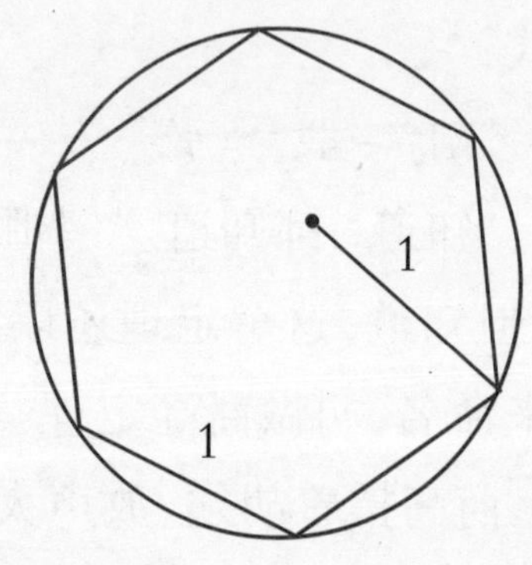

小眼镜点点头说:“懂,懂。”

刘徽严肃地说:“前人把圆周率取为 3,我认为是不对的。前人错误地把圆内接正六边形的周长当作圆的周长了。你看，当圆的半径是 1 的时候,圆内接正六边形的边长也恰好是 1,周长是 6,直径是 2,$\frac{6}{2}=3$。”

小眼镜问:“你有什么好办法求圆周率吗？”

刘徽十分肯定地说:“有,要割圆！”

割圆高手

GEYUANGAOSHOU

“割圆？”小眼镜觉得十分奇怪。

刘徽看小眼镜没听懂，就笑笑说：“你饿了吧？今天我请你吃大饼。”说完走进厨房，从里面取出一摞大饼，这些大饼都一般大，都非常圆。

小眼镜还真有点饿，他伸手刚想去拿大饼，刘徽拦阻说：“慢。这样拿起来就吃，多没有意思呀！”

小眼镜把手缩回去，咽了一下口水问：“怎么吃饼才有意思？”

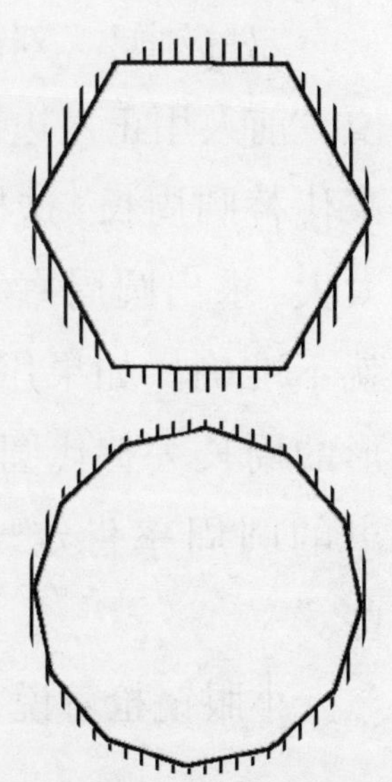

刘徽用刀在第一张圆饼中切出一个内接正六边形，然后把切下来的6小条弓形饼递给了小眼镜，说：“吃吧！”

小眼镜虽然嫌少，无奈肚子饿呀！双手接过来，两口就吃完了。小眼镜说：“还想吃。”

“咱们切第二个圆饼。”刘徽这次

在圆饼上切出一个圆内接正十二边形，切出 12 条又细又短的弓形小饼递给小眼镜，说："吃吧！"

"啊！就这么点儿？"小眼镜一只手接过这 12 条小饼，一口就吞了下去。

刘徽说："够不够吃？不够我再切第三张圆饼。"

"别切了，别切了。"小眼镜赶忙拦住说，"您这一次肯定要切出一个圆内接正 24 边形，切下来的 24 条小饼，恐怕还不够我塞牙缝的哩！"

"哈哈。"刘徽笑着说，"娃娃，你从我切饼中得到些什么启示？"

小眼镜捂着后脑勺想了想说："正多边形的边数越多，切下来的饼越少。"

"对极啦！"刘徽高兴地说，"前人用正六边形的周长来代替圆周长，这样做误差太大，求出圆周率等于 3 也就不准确。如果用正 12 边形的周长去替代圆周长，求出的圆周率肯定要更准确些。"

小眼镜抢着说："如果用

正 24 边形的周长来代替圆周长,误差就更小啦！用正 24 边形的周长去代替圆的周长,求出的圆周率会更准确些。”

“说得太对啦！”刘徽说,“我就用这种每次边数加倍的方法,算出了圆内接正 192 边形周长,并算出圆周率等于 3.14 。”

“3.14？书上把 3.14 叫做‘徽率’,就是纪念您的伟大成就啊！”小眼镜又问:“您用的这叫什么方法？”

刘徽答:“割圆术。”

小眼镜竖起大拇指,称赞说:“您不但饼切得好,更是割圆高手！”

掉进河里

DIAOJINHELI

提起圆周率，小眼镜想起了大数学家祖冲之，小眼镜对时间大鹰说，想见见祖冲之。

时间大鹰说："祖冲之是南北朝时期的数学家，他生于公元429年，死于公元500年。我带你去找他吧。"

大鹰在一座小城降落。小眼镜问："这是哪座城市？"大鹰告诉他，这就是后来的江苏省镇江市。

小眼镜很想逛逛1500年前的镇江市，就一个人在城里到处走走。街道两旁商店很多，人来人往很是热闹。小眼镜走上一座小桥，突然从对面急匆匆走来一个年轻人。他边走边看一本书，可能是眼神不好，书离眼睛非常近。脸被书本一挡，他根本看不见前面的路。

"咚"的一声，小眼镜和这个青年人撞了一个正着。小眼镜身子一歪，"扑通"一声掉进了河里。小眼镜是"旱鸭子"，不会游泳，他在河里大喊："救命！"几个过路人把小眼镜救了上来。

看书的年轻人赶紧跑过来赔礼道歉："真对不起，请你到我家换件干衣服，休息一下。"

小眼镜摇摇头说："不用了，我还要去拜见大数学家祖冲之哪！"

"祖冲之？"青年一愣，接着笑笑说，"找祖冲之更应该去我家啦！"

"为什么？"小眼镜也一愣。

青年人说："祖冲之是我父亲。"

"啊，你是大数学家祖暅啊！失敬！失敬！"小眼镜拉着青年的手，使劲晃动。

青年人奇怪地问："你怎么认识我？我可不是什么大数学家。"

小眼镜笑笑说："现在你还年轻，过几年你就是鼎鼎有名的数学家啦！"几句话把祖暅说得更糊涂了。

小眼镜跟随祖暅回了家，见到了祖冲之。祖冲之满脸怒气地问祖暅："你是不是又一边走路一边看书？"祖暅低头不语。

祖冲之对小眼镜说："娃娃你受惊了。祖暅就有这么个坏毛病。前几天他边走路边看书，结果撞在了大树上。"小眼镜听了"哧哧"直乐。

小眼镜说："您能给我讲讲圆周率吗？"

路遇诗仙
LUYUSHIXIAN

祖冲之说："我求出的圆周率在 3.1415926 与 3.1415927 之间，误差不超过一千万分之一。"

小眼镜双挑大拇指说："您计算的圆周率，在世界上领先了一千多年。大数学家刘徽用的是圆内接正 192 边形，您利用的是多少边形？"

祖冲之回答："我利用的是圆内接二万四千五百七十六边形。"

小眼镜瞪大眼睛，吃惊地说："我的妈呀！二万多边形！这要计算起来，多费劲哪！不过，圆周率是八位数，不太好记。"

祖暅插话："我父亲还求出两个分数形式的圆周率：一个是$\frac{22}{7}$，大约等于 3.14，叫'约率'，另一个是$\frac{355}{113}$，大约等于 3.141592，比较准确，叫'密率'。"

"$\frac{22}{7}$，$\frac{355}{113}$，嘿！这两个数果然好记多了。"小眼镜说，"祖冲之老爷爷，您在数学上的成就为中国人争了光。月

亮背面的一座山现在被命名为'祖冲之山'。"

祖冲之拍拍小眼镜的肩头,说:"好好学数学,给中国人争气!"

"好!"小眼镜响亮地答应一声,向祖氏父子深鞠一躬,转身出去了。

小眼镜对时间大鹰说:"该回到咱们所在的时代了,我要参加期末考试。"

"好吧。我就往 2005 年飞了。"时间大鹰说着腾空而起。随着大鹰的飞行,地上一朝一代像放电影一样从眼前掠过。

突然,小眼镜看见地面上一个中年人,手中拿着一把酒壶,边走、边喝、边唱。

小眼镜问:"这个人是谁呀?"

大鹰答:"是唐代大诗人李白。"

“李白？快停下来，让我见见这位诗仙。”小眼镜急于要见大诗人李白。

小眼镜问：“李大诗人，您喝了多少酒了？”

李白笑了笑，随口说出一首打油诗：

“李白提壶去买酒，遇店加一倍，见花喝一斗。三遇店和花，喝光壶中酒。试问壶中原有多少酒？”

“哈哈，好个诗仙，你倒考起我来了，我来算算。”小眼镜提笔就算。

回归现代 HUIGUIXIANDAI

刚要算，忽然想到应该先把题目搞清楚。他问道："大诗人，您的壶里原来就有酒，每次遇到酒店便将壶里的酒增加一倍；当您赏花时，就要饮酒作诗，每饮1次喝去1斗酒。这样反复经过3次，最后喝光壶中的酒。您问我壶中原有多少酒？"

李白点点头说："正是此意。"

"您这个题还挺难，嗯……"小眼镜想了想说，"我用反推法解这道题。您第三次见到花时，将壶中的酒全部喝光了，说明您见花前壶里只有1斗酒，进一步推出您第三次遇到酒店前，壶里有$\frac{1}{2}$斗酒；按着这种推算方法，可以算出第二次见到花前，壶里有$1\frac{1}{2}$斗酒，第二次见到酒店前壶里有$1\frac{1}{2}\div 2=\frac{3}{4}$斗酒；第一次见到花前壶里有$1\frac{3}{4}$斗酒，第一次遇到酒店前，壶里有$1\frac{3}{4}\div 2=\frac{7}{8}$斗酒。"

李白问："答案为多少？"

小眼镜说："壶中原有酒$\frac{7}{8}$斗，您一共喝了 3 斗酒。"

李白晃了晃手中的酒壶说："我还想喝酒，我再去找个酒店。"

小眼镜劝阻说："诗仙，您都喝了 3 斗酒了，不少了。再说，您就是遇到酒店，人家也不会卖给您酒呀！"

李白吃惊地问："这是为何？"

小眼镜解释说："您想啊！遇店加一倍，就是说遇到酒店把壶中的酒量乘以 2。"李白点头说："对。"

小眼镜拿过酒壶晃了晃说："您现在的酒壶是空的，酒量为 0，$0 \times 2 = 0$，就是加倍也是空壶啊！"

"啊呀！没有酒喝，我如何做诗啊？"李白真着急。

李白眼珠一转，从怀中掏出一些碎银，对小眼镜说：

“娃娃,你去替我买壶酒来,回来咱们两个对饮,你看如何?”

小眼镜连连摆手说:“不成,不成。学生不许喝酒,再说我要去考试,没有时间啦!再见啦,大诗人!”小眼镜骑上时间大鹰飞上天空。

李白挥挥手说:“好孩子,祝你考上状元!”

小眼镜笑着说:“状元是没地方考了,我一定要成为一个有用之才!”

时间大鹰载着小眼镜急速向 2005 年飞去。

李毓佩数学故事系列

古堡里的战斗

LI YU PEI SHU XUE GU SHI XI LIE

武士把门

WUSHIBAMEN

赵民是考古队队长的儿子，受家庭熏陶，从小就热衷于探险和考古。

暑假里，赵民听说父亲的考古队要去一座神秘的古堡考察，便缠着父亲要带上他。父亲被他磨得实在没办法，答应赵民和他的好友王军随考古队去古堡考察。

古堡位于大沙漠之中。赵民和王军合骑一匹骆驼，随着考古队向古堡进发。

快到古堡了，突然出现一

个老头儿，他长得又高又瘦，头上缠着白布，留着山羊胡子，右手拄着一根拐棍。

老头对王军和赵民说：“你们两个小孩也想去考察古堡？告诉你们，古堡里可危险了，各种机关、鬼怪什么都有，进去的人没有一个能活着出来！”说完老头就一瘸一拐地走了。

王军说：“古堡那么危险，咱俩回去吧！”

赵民笑着说：“那个老头是在吓唬咱俩，没什么可怕的，咱俩先去探探路。”赵民背上考古用的大口袋，拉着王军离开考古队向前走去。

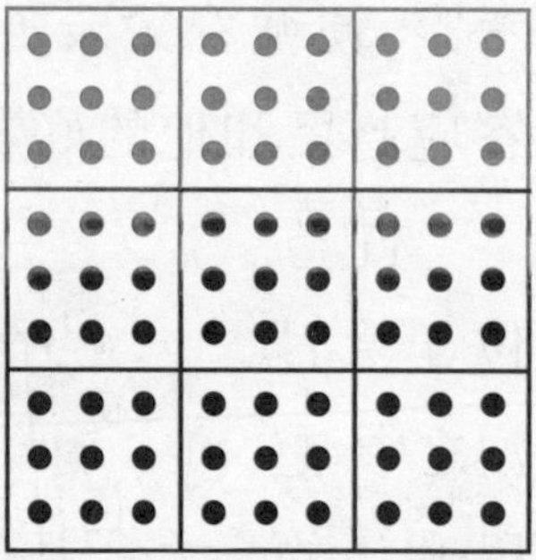

突然前面有座山，山前站着一个铜铸的武士，它右手拿着一根铜矛，左手拿着一个大铜盾牌，腰间挂着一个箭壶，壶里装满了铜箭。

王军说：“这个盾牌上有 9 个小方格，每个小方格里有 9 个小洞，共 81 个小洞。”

赵民说：“箭壶里有 45 枝箭。”

王军拿一枝箭往小洞里一插，正好一插进去。他说：“81 个小洞，只有 45 枝箭，这可怎么插法？”他转到盾牌后面，发现三条相交于一点的线，旁边还有符号。

王军说：“你看，这是什么意思？”

赵民看了看说：“我在考古书上看到过，这是古埃及

的象形文字，符号∩代表 10，$\substack{|||\\||}$表示 5，合在一起表示 15。”

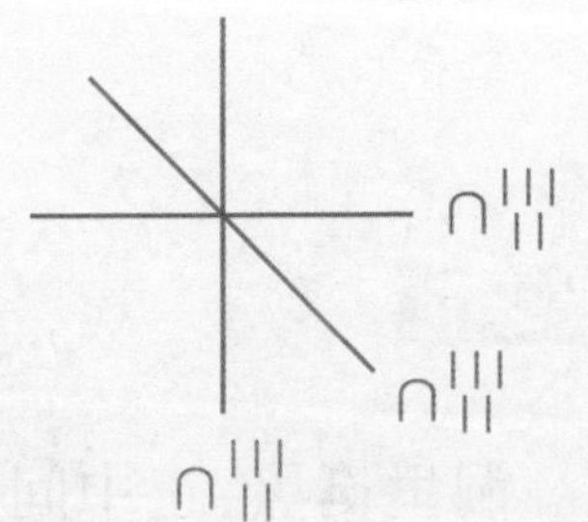

4	9	2
3	5	7
8	1	6

忽然王军眼睛一亮，说：“我明白了，它让咱们这样插：不管是横着数，竖着数，还是斜着数都是 15 枝箭。”

“这是 3 阶幻方呀！我会插。”赵民很快把 45 枝箭都插了上去。

刚刚插完，只听“吱溜”一声铜铸武士转了 90°，背后露出一个洞口。

赵民拉着王军钻进洞里。

他们不知道，跟在他们身后，一个老头指挥着一胖一瘦两个人也钻进了洞里。

古棺之谜

GUGUANZHIMI

赵民和王军钻进洞里。洞里挺黑,正中间摆着一口大棺材。

王军说:“快看,这里有一块墓碑!下面还有十个转盘。”

赵民用手电筒往墓碑上一照,只见上面写着:

这里安息着国王古里图。他一生的六分之一是幸福的童年,十二分之一是无忧无虑的少年,再过去生命的七分之一,他戴上了国王皇冠,5年后新王子出生,后来王子染病,先他4年而终,只活到父亲的一半年龄。晚年丧子国王真不幸,他在悲痛中度过了余生。

请你算一算,古里图国王活了多少岁?假如你想见到死去的古里图国王,转动转盘,使箭头指向他活到的岁数。

赵民迫不及待地说:“我想见见古里图国王。”

“你疯啦!”王军瞪大眼睛问:“你想见死国王?”

“要想考古,就别怕死人。我来算算古里图国王活了多少岁。”赵民认真地在小本子上算着:

设国王活了x岁,童年为$\frac{1}{6}x$,少年为$\frac{1}{12}x$,可列出方

程：

$$\frac{x}{6}+\frac{x}{12}+\frac{x}{7}+5+\frac{x}{2}+4=x,$$

$$\frac{9}{84}x=9$$

$$x=84$$

“哈哈，我算出来啦！古里图国王活了84岁。我来转动转盘。”赵民把转盘上的指针对准“84”。

只听“噝”的一声，棺材盖自动打开了。

“我的天哪！棺材打开啦，国王要出来了。”王军吓得掉头就跑。

“嘻嘻”，王军听到笑声回头一看，见赵民正站在棺材里，冲他笑呢。

王军着急地喊：“快出来，危险！”

赵民笑嘻嘻地说：“什么危险？里面是空的，只有一张古里图国王的画像。你快进来吧！”

王军仗着胆子爬进了棺材，只听棺材里面“嘻嘻哈哈”地又说又笑，过了一会儿，一点声音也没了。

这时，躲在暗处的老头、胖子、瘦子3个人觉得奇怪。老头踹瘦子一脚，恶狠狠地说：“过去看看，两个小孩在棺材里玩什么鬼把戏！”

“是！”瘦子掏出手枪，悄悄靠近棺材，探头往里一看，惊呼道：“啊，两个小孩不见啦！”

过铡刀关

GUOZHADAOGUAN

老头儿和胖子听说两个小孩不见了，跑到棺材前往里一看，里面空无一人。

老头儿眼睛一瞪说："不可能！我明明看见那两个小孩钻进棺材里，怎么会一转眼就没了呢？"

老头儿探身进去，用手敲了敲棺材底，发出"嘭嘭"的声音。老头儿命令瘦子："棺材底儿是空的，把它打开！"

瘦子一拉棺材底，底是活的。瘦子忙说："头儿，下面

是地道！”

老头儿爬进棺材说：“快下地道，追上两个孩子！”

回头再来说说赵民和王军。他俩顺着地道往下走，走着走着被一件发着寒光的东西挡住了去路。

“这是什么东西？”王军走近一看，“啊，是一把悬空的大铡刀！”

要想过去，就得从铡刀下面爬过去，这可太危险了！必须把铡刀放下来。

王军眼尖，他指着铡刀说：“你看，铡刀上面有字。”

赵民看见有10个小格子，右边还有一个摇柄。下面写着几行字：

10个格子表示一个十位数，它的每3个相邻数字之和都等于15。算出△是几，把摇柄按顺时针方向摇几圈，铡刀就会自动落下。

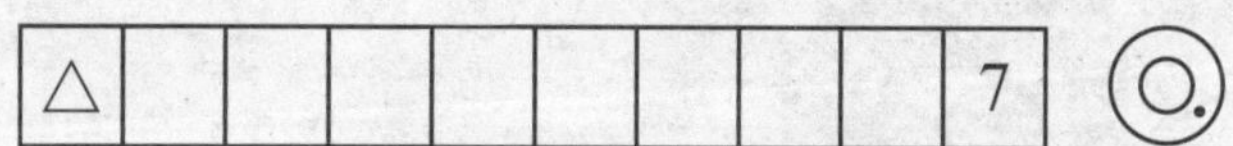

赵民摸着脑袋，说：“7和△中间隔着8个空格，怎么能知道△是多少？”

王军说：“它还告诉我们，每3个相邻数字之和都等于15哩！”

赵民问：“这有什么用？”

“怎么没用？最右边的3个数字之和等于15。从右

数第 2 、3 、4 位数字之和也等于 15 , 由于第 2 、3 两位数字没变,所以第 4 位数字一定是 7 。同样道理,第 7 位、第 10 位也一定是 7 。”王军说完在空格里填了 3 个 7 。

△ 7			7			7			7

赵民高兴地一拍手说:“好了,△等于 7 ,把摇柄顺时针摇 7 下。”赵民刚刚摇完,铡刀就自动放了下来。

赵民听到后面的脚步声,忙说:“有人跟踪咱们,快躲起来!” 两人藏到黑暗的角落。老头儿带着一胖一瘦两人从他俩身边匆匆走过。

赵民说:“这个老头儿挺面熟!”

小金字塔
XIAOJINZITA

王军看老头儿面熟，一拍大腿说："我想起来了！他是咱们刚到古堡时遇到的那个老头儿。"

"是他。他还吓唬咱俩哪！"赵民眼珠一转说，"他为什么要跟着咱们呢？要留点神！"

两个人继续往前走，越走越亮，走出一个洞口就又跑到外面来了。

王军晃着脑袋说："古堡走完了，咱们探得什么秘密了？"

"没有走完。"赵民往前一指说，"看，前面有座小金字塔，秘密一定藏在那里面。"

两人跑过去,围着塔转了一圈,发现小金字塔连个门儿都没有。

王军失望地说:“连个门都没有,怎么进得去?”

赵民想了想说:“古里图国王是一位数学家,这小金字塔的门也一定与数学有关。咱俩先量量这个金字塔的底座吧。”

两人用皮尺测量底座,每边都是 31.4 米,是个标准的正方形。

王军说:“31.4 是 3.14 的 10 倍,这 3.14 可是圆周率呀!”

赵民问:“秘密会不会藏在圆里?”

王军趴在地上算了一阵子,说:“嗯,有门儿!如果以 5 米为半径画个大圆,这个大圆的周长就是 $2\pi r = 2 \times 3.14 \times 5 = 31.4$ 米,刚好等于底座边长。”

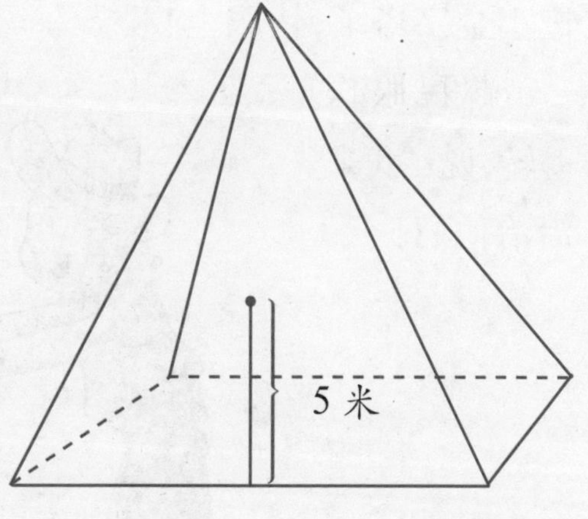

王军在金字塔底座一条边的中点摁住皮尺一头,赵民拿着皮尺往金字塔上爬量出 5 米。

赵民说:“这就是那个大圆的圆心。”他用力推圆心处

(如图)的石头,推不动。

他们又换了一条底边,向上量到5米处,赵民用力一推圆心处的石头,只听“轰隆”一声巨响,小金字塔上立刻出现了一个大圆门。

赵民顺着小金字塔的斜坡滚了下来,他拍着手高兴地说:“太好啦!出现了一个大圆门。”

王军说:“这就是那个半径等于5米的圆。”

两个人飞快地从圆门进入了小金字塔。刚一进门,就吓了一跳,只见两个全副武装的士兵站在门口。

王军紧张地叫道:“有卫兵!”

赵民仔细看了看,说:“不要害怕,是假人。”

正在这时,后面传来老头儿的声音:“两个小孩已经进小金字塔了,快跟上!”

赵民眼珠一转,说:“我来治治他们!”

连滚带爬
LIANGUNDAIPA

赵民说要治治跟踪他们的老头儿。

王军问："怎么治法？"

赵民拿出一条绳子，两头分别系在两名士兵的腿上。绳系好后，赵民拉着王军说："咱俩先藏起来，有好戏看！"

老头儿第一个跑了进来，由于眼神不好，脚被绳子绊住，"咕咚"一声摔了个嘴啃泥。老头儿这一碰绳子可不得了，两名士兵同时向前倒去，一个压在胖子身上，一个压在瘦子身上。

胖子躺在地上大喊："卫兵用矛扎我，救命啊！"

老头生气地说："这是两个假人，假人怎么会扎你？快起来！"

赵民和王军躲在暗处，捂着嘴，憋不住要笑出声来。

胖子第一个钻了进去。他在里面大喊："头儿，这里面特别黑，什么也看不见。哎哟，还要下台阶哪！"

胖子一边数着数，一边下台阶："1、2，哎哟！摔死我啦！头儿，这里的台阶不一样高。"

老头在外面大喊:“胖子,你找一找这高矮台阶有什么规律?”

“我再试试。”胖子又往下走,“1、2、3,哎哟!又摔一跤!1、2、3、4、5,哎哟!摔死我啦!这是什么鬼路?”

赵民和王军听着胖子边走边摔跤,差点笑出声来。赵民说:“咱俩找一找这台阶的高矮有什么规律。”

王军说:“胖子在里面走的台阶是2低1高,3低1高,5低1高,8低1高。”

“嗯,我看出来了。每后一个低台阶的级数等于前面两个相邻低台阶级数之和。我把低台阶级数写出来。”赵民写出:

2、3、5、8、13、21……

王军说:“咱俩就按这个规律下台阶,保证摔不着!”两人手拉手,口

中数着数，按着规律很顺利地就下到底层。

“哎，那三个坏蛋呢？”赵民警惕地向四周察看。

突然，透过一丝光亮，他俩听到“啾、啾”的声音，十分可怕。王军浑身一哆嗦，说：“这好像是鬼叫！”

赵民笑笑说：“哪儿来的鬼呀！不要自己吓唬自己。”他一转身，看见一蹦一跳来了一个活“怪物”。

“啊！”赵民也吃了一惊，但是他很快又镇定下来了。因为他相信世界上不存在什么鬼魂！

赵民大声问：“你是什么人？”

“怪物”回答：“我就是这个古堡的主人古里图国王。”

赵民一歪脑袋说：“你是古里图国王？好，我来考考你。”

真假国王

ZHENJIAGUOWANG

赵民问那“怪物”：“有个胖小偷从古堡盗走$\frac{1}{3}$的宝物，另一个瘦小偷从剩余的宝物中盗走$\frac{1}{17}$，只给他们的同伙留下150件宝物。问古堡中原有多少宝物？”

“古堡中原有多少宝物，我给忘了。不过，我可以算出来。”那“怪物”边说边算，“设古堡中原有宝物为1，胖子取走$\frac{1}{3}$，瘦子取走$(1-\frac{1}{3})\times\frac{1}{17}=\frac{2}{51}$，古堡中剩下的宝物有$1-\frac{1}{3}-\frac{2}{51}=\frac{32}{51}$。古堡中原有宝物$150\div\frac{32}{51}=150\times\frac{51}{32}=239\frac{1}{16}$（件）。”

“怪物”看着最后的答数直发愣。他自言自语地说：“这么多宝物，胖子和瘦子只给我留下了150件，不成！这$\frac{1}{16}$又是什么意思呢？”

“$\frac{1}{16}$是一只宝瓶摔碎了，只给你留下了一小块碎片。”赵民说着一挥手说，“上！”

赵民和王军一齐扑向“怪物”，把“怪物”按在地上一

顿猛打，打得他“嗷嗷”乱叫，把面罩也打掉了。赵民拿出手电一照才知道，那“怪物”不是别人，正是那个坏老头。坏老头见事已败露，撒腿就跑。

“哈、哈”，赵民和王军看到坏老头狼狈逃走的样子，觉得十分可笑。

两人手拉手往前走。王军突然停了下来，赵民用手电一照，好险！地上有一个大圆洞。

王军倒吸了一口凉气：“这个陷阱直径足有 4 米，这可怎么过去呀？能跳过去吗？”

赵民摇头说：“不能，不能。不能冒这个险！唉，王军，你看这儿有 4 块木板，它们都一样长。”

王军拿起一块木板一试，差 1 米够不着另一边。王军着急地说：“哎呀！不能用。”

赵民眼睛一亮说：“我有个好主意！”

巧过陷阱

QIAOGUOXIANJING

赵民拿起木板说："咱们给它这样摆一下，就能过去了。"说着就用 4 块木板搭成一个山字形。

"好喽，咱俩过去喽！"赵民拉着王军的手，小心翼翼地踩着木板过了陷阱。

王军擦了一把头上的汗说："咱们赶快走吧！"

"不成！我把这块木板抽过来，让那三个坏蛋过不来。"说完，赵民把最靠近他的那块木板抽了过来。

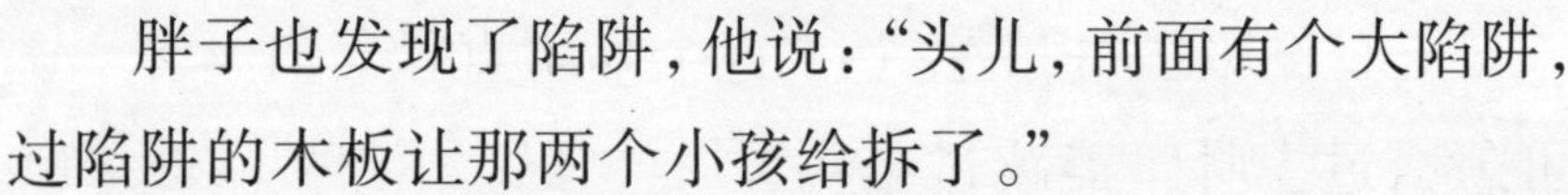

胖子也发现了陷阱，他说："头儿，前面有个大陷阱，过陷阱的木板让那两个小孩给拆了。"

老头儿眉头一皱说："你们俩研究一下，有什么好办法能过去？"

胖子和瘦子嘀咕了几句，瘦子对老头儿说："头儿，我们有个好主意。我和胖子把您先扔过去，您过去把那块木板搭好，我们俩再过去。"

胖子笑嘻嘻地说："头儿，您那么瘦，稍一用劲儿就能把您扔过去。"

老头儿指着瘦子说："他比我还瘦，为什么不把他扔过去？"

瘦子说："虽然说咱俩都够瘦的，可是我有劲。我保证能把您安全地扔过去。"

老头儿没话可说了，他嘱咐："要扔就用劲儿扔，千万别让我掉进陷阱里。"

"头儿，您放心吧！"两人抬起了老头儿，"1、2、3，扔！"只听"嗖"的一声，老头儿被扔了出去。

"扑通！""哎呀！"老头骂道："你们两个坏蛋，摔死我啦！"

老头儿把木板重新搭好，胖子和瘦子过了陷阱。两人搀扶着老头儿往前走，走一步老头儿“哎哟”一声。

突然，胖子高兴地说：“头儿，前面有亮光，古堡藏宝的地方可能到了！”

老头儿一听藏宝的地方要到了，立刻来了精神，推开两个人大步向前走去。

这一切被藏在暗处的赵民和王军看得清清楚楚。

王军说：“他们要盗取古堡中的财宝！”

赵民一字一句地说：“我们决不能让他们的阴谋得逞！走，跟上他们！”

大放光明

DAFANGGUANGMING

老头儿向前紧走了几步，看到一个大架子。架子旁立着一个木牌，上面写着：

后来人，这里是我的财宝集中地。只是黑暗遮住了你的眼睛。不过，这个灯架上有8个顶点，每个顶点都有6盏油灯，在G、A两处点着长明灯。你要不重复地一次走遍8个顶点，点亮各点的一盏灯，共走6次，可把全部油灯点亮，到时你会看清楚这里的一切。注意，每次走的路线要不相同，走错了你会倒霉的！

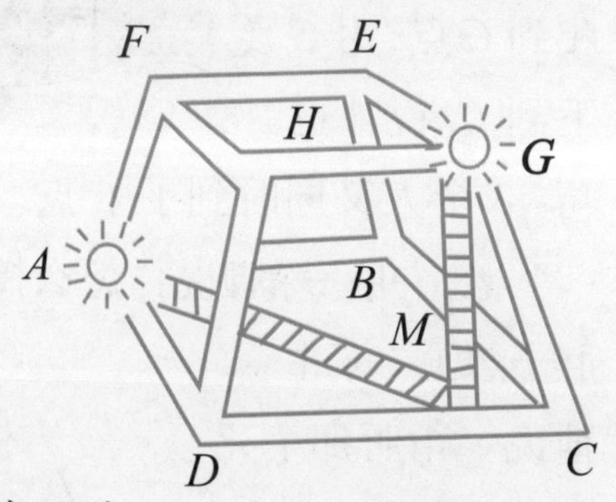

古里图国王

胖子高兴了，他说："哈，咱们把所有的灯都点亮，财宝就全归咱们啦！"

老头儿眼珠一转，说："为了点得快些，咱们分三路走。我从B点走，胖子从D点走，瘦子从A点走。灯没全部点亮之前，咱们不能碰面。”

“好的。”胖子和瘦子点点头就走了。

老头儿从 B 走到 C，胖子从 D 走到 C。瘦子走得快，他是奔亮的地方去，他从 A 走到 M，从 M 沿着梯子爬到 G 点，由 G 下到 C。说来也巧，3 个人又同时到了 C 点。

老头儿一跺脚说：“怎么搞的，咱们这么快就碰面了。”

胖子想了一个主意，他说：“甭听那个死国王的，咱们先把 C 点的 6 盏灯点亮再说。”瘦子同意胖子的意见，两人很快把 C 点的灯全点亮了。

A—E—F—B—C—D—H—G
A—E—H—D—C—B—F—G
A—D—H—E—F—B—C—G
A—D—C—B—F—E—H—G
A—B—F—E—H—D—C—G
A—B—C—D—H—E—F—G

说时迟，那时快。“噗”的一声，6 盏灯同时熄灭，上

面“哗”的一声下来一个大铁笼子，把三个人都罩在了里面。

赵民跑了过来，说：“三个坏蛋出事了，咱们俩来点灯。”

“不能乱点灯，要先寻找规律。”王军蹲在地上，先设计了一个路线图。

王军说：“每次都从 A 点出发，到 G 点结束，共 6 条不同路线，咱俩各走 3 条。”(如图)

“好！按着这 6 条路线走，一定能成功！”赵民开始点灯。

开启宝箱

KAIQIBAOXIANG

赵民和王军把灯架子上的灯全部点亮，整个屋子亮如白昼。

“我们成功啦！ 48 盏灯全部点亮了！”

“太漂亮了啦！”

两个人在屋里又蹦又跳。

他俩找到了许多大箱子，箱子上分别写着“数学书”、“体育书”、“金子”、“珠宝”等字样。

赵民喜欢体育，他首先要打开写有“体育书”的箱子。箱子上挂着密码锁，旁边有几行小字：

用 1、2、3 三个数字，按任意顺序排列，可以得到不同的一位数、两位数、三位数。把其中的质数挑出来，按从小到大的顺序排好，用第三个质数的号码开锁。

赵民对王军说：“虽然我的数学不如你好，但是这么简单的问题我还能解决。”赵民躲在一边要独立完成。

赵民自言自语地说：“1 不是质数，2 是，3 也是。用 1、2、3 组成三位数肯定能被 3 整除，它们肯定都不是

质数。两位数中只有个位数为1和3的才可能是质数。这么说来，质数只有4个：3、13、23、31。好，开锁密码是23！”赵民急忙把密码锁拨到23。谁料想，“哗啦”一声，从上面掉下一个铁笼子，把赵民罩在里面。

“啊！”王军大吃一惊，他用力抬铁笼子，可是铁笼子纹丝不动。

王军问：“赵民，你算的密码是几？”

“23啊！”赵民显得很有把握。

王军着急地一跺脚：“一共可以排出5个质数：2、3、13、23、31。密码应该是13呀！”

“2？2可是偶数啊！2是质数吗？”赵民有点糊涂。

王军说：“质数中只有2是偶数，2也是最小的质数。”王军赶紧把密码改为13，铁笼自动升了上去。

话说两头，在铁笼子罩住赵民的同时，罩住坏蛋的铁笼子却自动升了上去，三个坏蛋也得救了。

老头儿看赵民正要打开宝箱，急得不得了，掏出手枪大喊一声：“快上！”三个坏蛋从三面包围了赵民和王军。

老头儿“嘿嘿”一阵冷笑，说：“这些宝都是我的，看谁敢动！”

捉拿盗贼

ZHUONADAOZEI

老头儿拿着手枪，胖子举着匕首，瘦子耍着木棍从三个方向包围了赵民和王军。

老头儿要把宝箱占为己有。

赵民站起来，理直气壮地说：“所有文物都属国家所有，私人不得侵占！”

“国家的？谁找到的就归谁！”老头儿撇着大嘴说，“你们把这两个小孩给我捆起来！”

胖子和瘦子刚要动手，只听一声大喝：“三个坏蛋把手举起来！”赵民回头一看，是爸爸带着几名考古队员，端着猎枪站在门口。

赵队长揪住老头儿衣领，责问道：“说实话，你从古堡中已拿走了多少件文物？”

老头儿想要赖，他说：“我拿走的物品数嘛……用这个数去除 205、262、300，所得的余数

相同,哼,有能耐自己去算吧!”

“你难不倒我们!这个数去除3个数的余数相同,说明这3个数任意两个数的差,一定能被这个数整除。”

王军说着写出几个算式:

$300-262=38=2\times19$,

$300-205=95=5\times19$,

$262-205=57=3\times19$,

赵民看出了门道,他说:“这个数肯定是19,坏老头从古堡中已经偷走了19件文物!”

赵队长问:“你把文物藏在什么地方?”

老头儿说:“出了古堡的正门走 *HA* 步,我埋在那儿了。”说完他写了张纸条递了过去,上面写着:

$$\frac{AHHAAH}{JOKE}=HA$$

赵队长接过纸条一看,双眉紧皱:“*JOKE*!玩笑?说我们开玩笑?”

“对。我出的这个特殊数学式,你们想解出来,纯粹是开玩笑!”老头儿得意极了。

王军接过纸条说:“我来试试!”

由$\frac{AHHAAH}{JOKE}=HA$,可得$\frac{AHHAAH}{HA}=JOKE$;再看左边:

$$\frac{AHHAAH}{HA}$$

$$=\frac{AH\times10000+HA\times100+AH}{HA}$$

$$= 100 + \frac{10001 \times AH}{HA}$$

$$= 100 + \frac{73 \times 137 \times AH}{HA}。$$

王军说："由于 HA 是两位数，它必然等于 73 。"

老头儿一屁股坐在了地上，哀叹："我一切都完啦！"

赵队长下令："把这三名文物盗窃犯押走！"

李毓佩数学故事系列

LI YU PEI SHU XUE GU SHI XI LIE

黑森林历险

智擒人贩子

ZHIQINRENFANZI

黑蛋是个聪明机灵、乐于助人的小男孩。他喜欢数学，和数学有关的东西他都去钻研。他非常爱看课外书，看起来还特别容易入神，随着故事情节的发展，他和书中的主人公同欢乐，共悲伤。看，寒假的第一天，黑蛋就捧着一本《明明历险记》看得入神啦。

“啪！”黑蛋用力拍了一下桌子说：“大坏蛋钱魁，为了发财你把明明等小朋友骗走了，想像牲口一样卖掉，我绝不能袖手旁观，我要想办法把这些小朋友救出来！”

说也奇怪，书上原来有一张插图，画的是大坏蛋钱魁正在哄骗明明等几个小朋友去黑森林里逮野兔。不知怎么搞的，画中的景物和人物突然都动了起来——风在吹，树叶在动，小朋友在笑。

钱魁用沙哑的声音在讲话：“小朋友，我要带你们去的那个大森林，野兔可多啦！你拔几把青草，在树底下一蹲，野兔就会自动跑来吃你手中的草，你想捉几只就可以捉几只，好玩极啦！”

明明高兴得又蹦又跳："快带我们去吧！"

不知怎么搞的，黑蛋也进入了画面。钱魁回头看见了黑蛋，心想又来了一个上当的！他冲黑蛋说："喂，这位小朋友，你想不想去逮野兔呀？"

黑蛋随口答道："想去。"

钱魁一招手说："咱们一起去吧！"说完他领着大家朝一条小路走去。

明明主动向黑蛋伸出右手："我叫明明，今年五年级，喜欢文学，爱看小说，认识你很高兴！"

黑蛋紧握着明明的手说："因为我长得黑，大家都叫我黑蛋，今年六年级，喜爱数学，爱看课外书，愿意和你交个朋友！"

钱魁回头喊："你们俩还磨蹭什么？去晚了野兔都叫

别人逮走了。”

黑蛋装着系鞋带，小声对明明说：“这个钱魁是个人贩子，他想把咱们骗走，然后卖掉！”

“啊？！那咱俩快跑吧！”明明听后吓了一跳。

“不成！咱俩跑了，那几个小朋友怎么办？他们还会被卖掉的。”黑蛋紧握双拳说：“咱们要把这个坏蛋抓起来，送公安局！”

钱魁跑过来对黑蛋吆喝说：“你这个小孩真麻烦，系个鞋带系这么半天，快走吧！”

黑蛋干脆一屁股坐在地上不走了，说：“我看你这个人，长得挺大的个子，可是有点傻。跟你这么个傻乎乎的人去逮野兔，能逮着吗？”

钱魁一听黑蛋说他傻，立刻把眼睛瞪圆了：“什么？我傻？谁不知道我钱魁聪明过人，大家都说如果把我身上粘上毛，我比猴还精！”

黑蛋从口袋里掏出一张纸和一支红蓝两色圆珠笔，说：“我们 8 个小朋友加上你共 9 个人，每个人用这支双色圆珠笔在纸上写‘捉野兔’3 个字，3 个字的颜色可以一样，也可以不一样，但至少每两个字的颜色必须一样。我们 8 个小孩先写，你最后写。我敢肯定，你写的三个字的颜色一定和我们之中某个人的相同。”

钱魁把脖子一梗说：“我不信！”

黑蛋把双色笔递给了明明。明明用红笔写了“捉野兔”3个字。其他小朋友依次写了这3个字，但是颜色都不一样：蓝红红；红蓝红；红红蓝……

黑蛋趁钱魁不注意，悄声对明明说：“我拖住这个坏蛋，你赶快去找警察！”

8个小朋友都写完了，双色圆珠笔传到了钱魁手里。他把8个颜色不同的“捉野兔”端详了半天，犹犹豫豫地写出了“捉野兔”3个字，颜色是蓝红蓝，一个小朋友指着自己写的字说：“你这3个字的颜色和我的一样。”

钱魁一看，果然一样。他又换颜色写了3个字，又一个小朋友说：“你写的字颜色和我的一模一样。”钱魁一连写了几次，次次都和某个小朋友写的颜色重复。

“啧啧，”黑蛋撇着嘴说：“我说你有点傻，你还不服气。看看，你写字用的颜色，总跟我们小孩子学，是不是有点傻？”

钱魁挠挠脑袋说：“真是怪事，我怎么写不出颜色和你们不一样的字呢？算啦！咱们还是逮野兔去吧！”

钱魁一回头，发现明明不见了，他忙问黑蛋：“喂，你知道明明到哪儿去了吗？”

“他可能去大便了，”黑蛋拉住钱魁说，“其实，你一点也不笨。因为用两种颜色写 3 个字，最多只能写出 8 种不同颜色的字来，你第 9 个写，当然和前面写的重复了。”

钱魁摇摇头说：“我怎么听不懂啊！”

黑蛋在纸上边写边讲：“我用 0 代表红色字，用 1 代表蓝色字，那么用红蓝两种颜色写‘捉野兔’3 个字，只有以下 8 种可能：

0、0、0，即红、红、红；

1、0、0，即蓝、红、红；

0、1、0，即红、蓝、红；

0、0、1，即红、红、蓝；

1、1、0，即蓝、蓝、红；

1、0、1，即蓝、红、蓝；

0、1、1，即红、蓝、蓝；

1、1、1，即蓝、蓝、蓝。

这好比有 8 个抽屉，每个抽屉里都已经装进了一件东西，你再拿一件东西往这 8 个抽屉里装，必然有一个抽屉里装进了两件东西。”

钱魁突然凶相毕露，一把揪住黑蛋的衣领，恶狠狠地说：“好啊！你是在耍把戏骗我，快说，明明到哪儿去了？”

“我在这儿！”随着明明一声喊，两辆警车飞快驰来，从车上跳下几名警察立刻把钱魁逮捕了。

右手提野兔的人

YOUSHOUTIYETUDEREN

捉住了人贩子钱魁，警察就地审问。钱魁交待，他把骗来的孩子交给一个右手提一只野兔的人，每个小孩卖 5000 元，一手交钱一手交人。警察再追问，这个买小孩的人长得什么样？钱魁说他没见过，他又交待了接头地点、接头暗语。

黑蛋说：“咱们就是抓住了那个右手提野兔的人，他死不承认，咱们又拿不出证据，还是不能逮捕他呀！”

“说得有理！”王警官点点头说，“你有什么好主意吗？”

黑蛋把王警官上下打量了一番：“你就假扮成人贩子钱魁，领着我们去找那个买小孩的坏蛋，在一手交钱一手交人的时候当场捉住他！”

“好主意！”王警官用手使劲捋了一下黑蛋的头发，然后走到已被押上警车的钱魁身边说，“把你的外衣脱下来！”王警官脱下警服，穿上钱魁的衣服，带着 8 个孩子向黑森林走去。

走近黑森林，黑蛋连呼上当！原来黑森林附近有许多卖野兔的人。他们都是右手提着野兔的大耳朵，左手招呼过路的人，夸耀自己的野兔又肥又大。

王警官小声对黑蛋说："这么多右手提野兔的，咱们抓谁呀？"

黑蛋无可奈何地摇了摇头。突然，黑蛋听到了一阵阵极其轻微的呼救声："救命啊！救命啊！"黑蛋感到十分吃惊，他四处张望，可是没发现有人喊救命。

黑蛋又往前走了几步，"救命啊"的声音又传来了。这次黑蛋听清楚了，是那些被人们提在手上的野兔在呼救。"我能听懂野兔的语言！"黑蛋心里别提多高兴了。

当王警官领着8个小朋友，走到一个又矮又胖的人面前时，黑蛋听到他右手提的野兔在大声喊叫："哎哟，痛死我喽！你这个该死的胖子，怎么突然用力捏我的耳朵呢？"

黑蛋立刻站住，拉了一下王警官的袖口，冲矮胖子努了努嘴。王

警官点了点头，径直向矮胖子走去。

王警官用左手指着矮胖子手中的野兔问："好大个的野兔，它咬人吗？"

矮胖子笑眯眯地说："这兔子是专门给孩子玩的，怎么会咬人呢？"暗语接对了，王警官把右手五指张开伸过去，问："还是这个数一个？"

矮胖子摇了摇头，似笑非笑地说："这次是个大买主，他说要智商高的，特别是数学要好。只要自身条件好，一个给二万三万的都成。"

王警官眼珠一转，问："你知道哪个小孩的智商高？"

"可以考一考嘛！"矮胖子从口袋里掏出一张纸，对孩子们说，"我这儿有道题，看看你们 8 个小孩谁会答。谁答对了，我把这只又肥又大的野兔送给他。"

明明一把抢过题纸，说："我先看看。"明明边看边读道：

"聪明的孩子，请你告诉我，什么数乘以 3，加上这个乘积的$\frac{3}{4}$，然后除以 7，减去此商的$\frac{1}{3}$，减去 52，加上 8，除以 10，得 2？"

明明皱着眉头想了想，摇摇头说："课堂上没做过这样的题。"其他几个小朋友挨着个儿把题目看了一遍，都说不会。

题目传到了黑蛋手里，他心算一下，从容地回答说："这个数是 128。"

听到这个答案，矮胖子眼睛一亮，他走到黑蛋面前，把黑蛋上下打量了好半天，然后点点头说："嗯，有两下子。你能把解题过程给我讲讲吗？"

"可以。用反推法来算，从最后结果 2 开始。"黑蛋边说边写，"反推法的特点是，题目中说加的，你就减；题目中说乘的，你就除。"

得 2， 2；

除以 10， 2×10；

加上 8， $2\times10-8$；

减去 52， $2\times10-8+52$；

减去此商的$\frac{1}{3}$， $(2\times10-8+52)\times\frac{3}{2}$；

除以 7， $(2\times10-8+52)\times\frac{3}{2}\times7$；

加上这个乘积的$\frac{3}{4}$，

$(2\times10-8+52)\times\frac{3}{2}\times7\div(1+\frac{3}{4})$；

乘以 3，$(2\times10-8+52)\times\frac{3}{2}\times7\div(1+\frac{3}{4})\div3$；

你要求的数就是：

$(2\times10-8+52)\times\frac{3}{2}\times7\div(1+\frac{3}{4})\div3$；

$=64\times\frac{3}{2}\times7\times\frac{4}{7}\times\frac{1}{3}=128$。

矮胖子提了个问题："原来说'减去此商的$\frac{1}{3}$'，你怎

么乘$\frac{3}{2}$呢？这步做错了吧？”

黑蛋十分肯定地说：“没错！为了简单起见，可以设除以 7 之后的得数是 m。按照正常的顺序，再进行下几步，可以列出这么一个算式：$(m-\frac{1}{3}m-52+8)\div 10=2$，倒推回去就得 $m=(2\times 10-8+52)\times\frac{3}{2}$。”

矮胖子高兴地直拍大腿：“好，好。我就要这位小朋友了！给，这只野兔归你了。你跟我到黑森林里去玩玩吧！那是片原始森林，里面树高林密，小动物可多了，非常好玩。”

黑蛋问：“这些小朋友都去吗？”

矮胖子摇了摇头说：“人多了我照顾不过来，我先带你去玩，回头我再带他们去。”

黑蛋想了想，说：“好吧，我跟你去。不过，我要给妈妈写封信，免得她惦念着我。”黑蛋用极快的速度写了几行字，交给王警官：“劳驾，把这封信带给我妈，让她放心。”

王警官把信看了一下，点了点头说：“路上多加小心！”

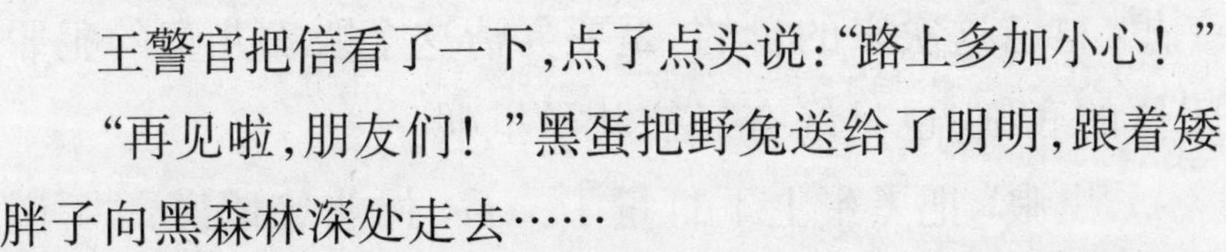

“再见啦，朋友们！”黑蛋把野兔送给了明明，跟着矮胖子向黑森林深处走去……

蚂蚁救黑蛋

MAYIJIUHEIDAN

矮胖子领着黑蛋在阴暗的森林里绕来绕去，三四个小时过去了，还没到达目的地。这时，黑蛋又累又害怕，不由地问："这是什么地方？你带我来干什么？"

"别问了，一会儿你就知道了。"矮胖子说完，把右手的拇指和食指放进嘴里，吹了一个长长的响哨。

过了一会，只见一个又瘦又高的老头和两个彪形大汉从一片树林中走出来。这个老头面色黝黑，身着黑衣黑裤，年纪约60岁左右。矮胖子马上向老头鞠躬哈腰，走近老头低声讲了些什么。然后转过身来对黑蛋说："这是黑森林的主子，大名鼎鼎的'黑狼'，他想收你做干儿子，你小子可要识相点！"

黑蛋万万没有想到，矮胖子领他进黑森林，是让他当大恶魔"黑狼"的干儿子。黑蛋心里这个气呀！可是转念一想，自己这次来的目的，是要弄清这个贩卖儿童的犯罪团伙的底细，也只好有气往肚子里咽。

"黑狼"把黑蛋上下打量了一番，慢悠悠地说："听说

你很聪明，数学很好，不知你的胆量如何？”说完，向两壮汉使了个眼色。两壮汉从树林中抬来一只小黑熊。

“黑狼”从小腿上拔出一把雪亮的匕首递给黑蛋：“你用这把匕首，把这只小黑熊的胆取出来，熊胆可以卖个好价钱哪！然后再把4只熊掌砍下来，晚上咱们吃清炖熊掌，这可是道名菜。”说完带着矮胖子、两个壮汉走了。

黑蛋想用匕首把捆小黑熊的绳子割断，放开小黑熊。小黑熊小声对黑蛋说：“千万别放我！你割断绳子，不仅我跑不了，你也要遭秧！‘黑狼’的打手们正躲在暗处监视咱们哪！”

“让我想想办法。”黑蛋用食指敲打着脑门儿。他小声对小黑熊说：“我拿匕首假装割你的肚皮，取你的胆。你大声呼叫你的父母，叫他们来消灭隐藏着的打手。”

小黑熊点点头说：“就这样办！”

躲在暗处的两名打手见黑蛋趴在小黑熊身上半天没起来。觉得事情奇怪，站起来想走过去看

个究竟。忽听背后有响动，两人掏出枪刚一回头，只见两只巨大的狗熊走了过来，狗熊给每个打手一巴掌，两人立刻晕死过去了。

小黑熊发现亲人救它来了，对黑蛋说："割断绳子，咱们赶快逃走！"黑蛋迅速割断绳子和小黑熊的父母一起逃走了。

在黑森林里走路，黑蛋跑不过狗熊，慢慢地就落到了后面。走着走着，突然从树上落下一个大铁笼子，一下子把黑蛋罩到里面。

小黑熊和它的双亲返身相救，突然，从树上传出"哈哈"的一阵笑声，这笑声比猫头鹰叫还难听。听到这怕人的笑声，3 只狗熊扭头就跑；听到这笑声，鸟儿都不敢歌唱。黑蛋抬头向上看，什么也看不见，只觉得周围像死一样的宁静。反正也出不了铁笼子，黑蛋只好在铁笼子里转圈儿。

这时，一只小蚂蚁爬了进来，黑蛋对蚂蚁说："你能帮助我逃出铁笼子吗？"

蚂蚁头也不回地往前走，嘴里嘟囔着："让我帮助你？谁来帮助我呀！过一会儿再堆不起来，我的小命就完啦！"

"你堆什么呀？我能不能

帮帮你？”黑蛋诚心诚意地问。

“你帮我？”蚂蚁怀疑地看着黑蛋，迟疑地说，“那就试试吧！我们找到了45个圆柱形的虫蛹，蚁后叫我把它们堆放整齐，可是我怎么也堆不整齐，蚁后生气了，说如果再堆放不好，就要处死我！”

“总共45个虫蛹，这好办！你先把9个虫蛹排成一排，两边用小石头垫好。别让它们滚动。然后在它们上面堆上8个虫蛹，就这样每次少放一个一直往上放，最后堆放成一个三角形的垛。”黑蛋在地上画了个图。

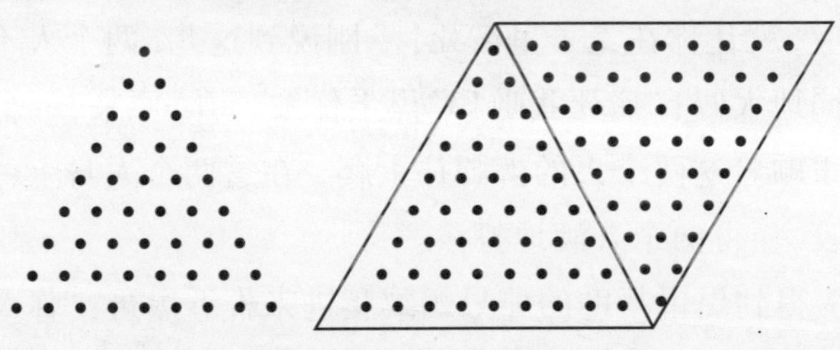

蚂蚁两眼盯着黑蛋画的图，摇摇头说：“这是45个吗？我看怎么不够数啊？”

“你不信？我可以再画一个同样的三角形，和它倒着对接上。这样一来，横着数每行都是10个虫蛹，一共9行，总共是$10 \times 9 = 90$个虫蛹。一半不就是45个吗？”黑蛋这么一讲，把蚂蚁讲服了。

蚂蚁说：“我回洞按你的方法试一试，如果真能堆放整齐，我就想办法救你。”说完就快步爬进自己的洞里去了。

过了一会儿，那只蚂蚁领着蚁后钻出了洞，蚂蚁指着黑蛋说：“是他教我这样堆放的。”

蚁后说：“多聪明的孩子呀！咱们一定要想办法把他救出来。”

这时走来两名“黑狼”的爪牙，其中一个留着大胡子，长着满脸横肉的家伙厉声对黑蛋说：“我们的头儿想收你做干儿子，是你小子运气，你别不识抬举！”

另一个干瘦干瘦的家伙，尖声尖气地说：“你如果不答应，就让你在笼子里饿死！”刚说到这儿，两个人不约而同地大叫：“痛死我啦！”黑蛋仔细一看，原来，一群蚂蚁正顺着这两个人的裤腿往上爬，在这两个人身上一通乱咬，痛得两个人满地打滚。

得到黑蛋帮助的那只蚂蚁爬进来告诉黑蛋：“你对他俩说，要立刻把你放了，不然就把他俩咬死！”黑蛋学说了一遍，两名爪牙实在受不了啦，站起来拉动绳子，把铁笼子升了上去，黑蛋脱险啦。

中了毒药弹

ZHONGLEDUYAODAN

随着一声怪笑，“黑狼”从树上跳了下来。“黑狼”对黑蛋说：“不要走嘛，我非常喜欢你。你不但聪明过人，还能懂鸟兽语。你今天做我的干儿子，明天就是黑森林的霸主！”

“哼，谁给你这个恶魔做干儿子？谁想当霸主！我要回去上学！”黑蛋说完扭头就走。

“刷”的一声，“黑狼”亮出了手枪。他恶狠狠地说：“你再敢向前一步，我就打死你！”

黑蛋把脖子一梗说：“你就是打死我，我也不当你的干儿子！”说完迈开大步就走。

“砰”的一声枪响，黑蛋觉得哪儿也不痛，怎么回事？这时，“呼”的一声从树上掉下一只大鸟。黑蛋跑过去一看，啊，是珍稀鸟类——褐马鸡。黑蛋把褐马鸡抱起来，发现它已经中弹死了。

黑蛋怒不可遏，指着“黑狼”说：“你竟敢杀死受人类保护的褐马鸡，你应当受到法律的制裁！”

"法律？哈哈……法律还管得了我！"说完"黑狼"一抬枪，"砰、砰、砰"的又是3枪，3只野鸡应声落下，矮胖子赶紧跑过去把野鸡拾了起来。

"黑狼"收起手枪说："这褐马鸡不好吃，肉发酸。烤野鸡才香呢！"

矮胖子小声对"黑狼"说："这小子总不答应做您的干儿子，怎么办？"

"这小子有性格，我很喜欢。还是采取咱们的绝招吧！不怕他不就范。"看来"黑狼"对制服黑蛋充满信心。

矮胖子点点头，快步走到黑蛋的身后，猛地将黑蛋的上衣往上一撸，露出了肚皮。

黑蛋挣扎着喊叫："你要干什么？"

"黑狼"狂笑了几声，把手枪又掏了出来，向手枪里压进一颗红头子弹，然后将枪口对准黑蛋的肚皮。

黑蛋两眼

一闭，心想这下子可完了。听人家说红头子弹进入人的身体以后就要炸开。看来，这一枪非把我的肚子炸出一个大窟窿不可。

“砰”的一声枪响，黑蛋觉得自己的肚脐眼儿，钻进了一个什么硬东西，痛得他“哎呀”一声。

“黑狼”收起枪，哈哈一阵怪笑：“我把这颗毒药弹片打进你的肚脐眼儿，药力会慢慢地扩散到你的全身，那滋味别提有多难受啦！当你受不了的时候，你会大声叫我干爹的，哈哈……”一阵狂笑后，“黑狼”带着一伙匪徒走了。

突然，黑蛋觉得渴得要命，他大声叫道：“水，水，渴死我了！”

听到黑蛋的叫声，小黑熊用半个西瓜皮装着河水跑来了。黑蛋捧着半个西瓜皮，一口气把水都喝下去了。他用左手抹了一下嘴角，右手把半个西瓜皮又递给了小黑熊：“我还要水喝！”小黑熊点点头，一溜小跑打水去了。黑蛋一连喝了 3 瓜皮水，把肚子涨得像半个圆球。

好容易不太渴了，突然，黑蛋又觉得全身发热，把上衣、长裤都脱了还是热。急得小黑熊打来清凉的河水浇到他身上，还是不成。黑蛋这时候才明白，是打进肚脐眼里的红色毒药弹在发挥毒性。

必须把这颗毒药弹取出来！黑蛋就动手去抠，不成，抠不动。小黑熊力气大，想把毒药弹取出来，也没成功。

怎么办？灰喜鹊在树上“喳喳”乱叫。灰喜鹊自言自语地说：“大坏蛋‘黑狼’为什么总要把毒药弹射进人的肚脐里呢？”

“这里面可有大学问，”黑蛋忍着身上极度的难受说，“因为肚脐眼儿是人体的黄金分割点。”

“黄金分割点？黄金分割点是个啥玩意儿呀？”灰喜鹊听不懂。

黑蛋解释说：“从人的头顶到脚底的长度设为l，从肚脐眼儿到脚底的长度设为l'，这时比值$\frac{l'}{l}$大约等于0.618。数学上，把一条线段能分成这样的两段的点叫做‘黄金分割点’，这种分割叫‘黄金分割’，把0.618叫做‘黄金数’，灰喜鹊你明白了吗？”

灰喜鹊摇摇头说：“他把毒药弹射入你身上的黄金分割点，有什么特殊作用？”

“我想，它的作用是可以使毒性更快地扩散到我的全身。”黑蛋刚说到这儿，突然全身冷得发抖，小黑熊把黑蛋紧紧搂在怀里，用身体给他取暖。

灰喜鹊飞到黑蛋的肩头上说：“啄木鸟是树木的医生，它的嘴坚硬无比，多硬的树皮它都能啄出一个洞来。我想让啄木鸟把你肚脐眼儿里的毒药弹啄碎，然后取出来。”

黑蛋一琢磨，是个好主意，就强忍着寒冷，露出自己的肚脐眼儿。啄木鸟两只一组，开始啄那颗红色毒药弹。

“砰、砰、砰”一组啄木鸟累了，换上另一组；“砰、砰、砰”这一组啄木鸟累了，再换上一组。“只要功夫深，铁杵磨成针”，这颗红色毒药弹硬是给啄碎了。啄木鸟又把啄碎的毒药弹片全都取了出来，黑蛋立刻恢复了常态。

黑蛋忽然灵机一动：“啄木鸟，你们能不能把褐马鸡身体里的子弹也取出来？”

灰喜鹊说：“它已经死啦！”

“死了也请你们把子弹给它取出来！”

“我们试试吧！”啄木鸟开始给褐马鸡取子弹，工夫不大，把子弹取了出来。说也奇怪，子弹刚刚取出来，褐马鸡“扑”的一声从黑蛋手中飞了起来，啊，褐马鸡又活了！

褐马鸡十分兴奋，在地上又蹦又跳：“好个‘黑狼’，你打死了多少我们黑森林中的伙伴。我们褐马鸡可不是好惹的，我们有极强的战斗力。中国古代的武将，帽子上就插有我们褐马鸡的尾羽，表示英勇善斗。走，找‘黑狼’算账去！”

梯队进攻

TIDUIJINGONG

好斗的褐马鸡站在高处一声鸣叫，"呼啦啦"地飞来了一大群红脸颊黑颈深褐色羽毛的褐马鸡。众褐马鸡听说去找"黑狼"讨还血债，都十分兴奋，鸣叫声此起彼伏。

灰喜鹊说："我知道'黑狼'的老窝在哪儿，我带你们去！"

黑蛋忙拦住："慢着，'黑狼'手下有多少名匪徒我们还不清楚，他们手中都有枪，而且枪法都很准。我们这样一窝蜂地去攻击他们，恐怕损失会很惨重的！"

"我们要战斗，我们不怕死！"褐马鸡群情绪激昂，不听劝阻。

黑蛋伸开双臂拦住众褐马鸡："不能蛮干！褐马鸡在地球上已经为数不多了，人们想尽一切办法保护你们，我不能看着你们去送死！"

"怕死就不是褐马鸡！勇敢的斗士们，咱们向'黑狼'去讨还血债，冲啊！""呼啦啦"，褐马鸡群起飞了。

黑蛋知道，现在不让褐马鸡去战斗是不可能的了，只能尽量减少它们的伤亡！

黑蛋挥舞着双手大叫："我同意你们去进攻'黑狼'，但要讲究进攻的策略！"

听到黑蛋的叫声，褐马鸡都落了下来。死而复生的那只褐马鸡问："你说该怎样去进攻？"

"应该由少到多，分若干个梯队去进攻。"黑蛋边画边说，"要把每个梯队编成三角形模样，一个角冲前，有极强的冲击力。第一梯队只安排一只褐马鸡，第二梯队 3 只，第三梯队 6 只，第四梯队 10 只，如此下去。"

褐马鸡都高兴极了："这队形有多漂亮啊！天上的飞机也这样排队飞行！"

黑蛋继续说："这种排法能使'黑狼'感到飞来的褐马鸡一队比一队多，摸不清究竟有多少褐马鸡，产生心理压力！"

褐马鸡高兴得又蹦又跳，一个劲儿地鸣叫。

黑蛋说："相邻两个梯队之间要隔开一段时间进攻，不然的话，就显不出梯队的威力了。"黑蛋心想，我让大群的褐马鸡留在后面，一旦进攻失败，还能把大部分褐马鸡保护下来。

一只褐马鸡提出一个问题：“我们总共有 56 只，可以编成几个梯队呀？”

“这个……”这个问题把黑蛋给难住了，他低着头琢磨了一阵子。突然，黑蛋一拍脑袋说：“有啦！”

黑蛋先画了 3 个正方形，然后说：“第一梯队和第二梯队合在一起，正好组成 2×2 的正方形，$2\times2=2^2$；第三、第四梯队合在一起组成一个 4×4 的正方形，$4\times4=4^2$；第五、第六梯队合起来组成一个 6×6 的正方形，$6\times6=6^2$……这样组成的正方形都是偶数的平方。”

第一梯队

第二梯队

第三梯队

第四梯队

小黑熊跑过来说：“我也会算，$2^2+4^2+6^2=4+$

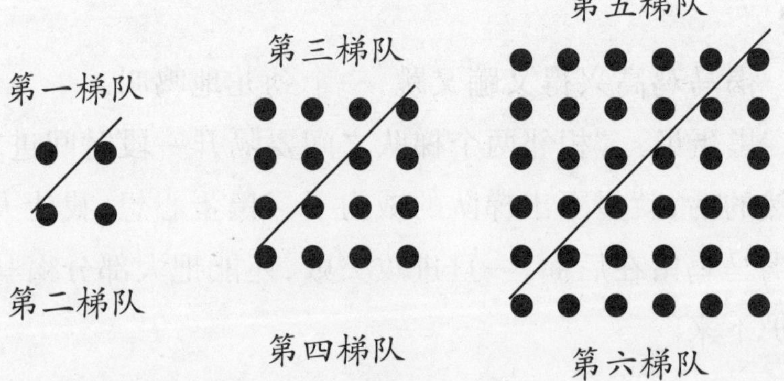

16 + 36 = 56，哈，你们褐马鸡正好能编成6个梯队！”

6个三角形梯队很快就编好了。死而复生的那只褐马鸡报仇心切，争着当了第一梯队。它率先起飞，在灰喜鹊的引导下，直向“黑狼”的老窝飞去。

“黑狼”正和矮胖子一边吃着烤野鸡，喝着酒，一边聊着天。

矮胖子咬了一大口野鸡肉，边嚼边说：“现在那个叫黑蛋的孩子正折腾呢！一会儿冷，一会儿热，一会儿渴，一会儿饿，到头来还是要大声叫干爹救命！哈哈……”

“黑狼”十分得意，他呷了一口酒说：“我这个绝招儿从来没失败过！从咱们手中卖出去的孩子不下几十个，哪个敢不听话？胖子，等把咱们手头这几只老虎、狐狸、天鹅卖出去，你再去骗几个孩子来卖。完了咱们再买卖一批毒品。”刚说到这儿，一只褐马鸡从天而降，直奔“黑狼”的右眼

啄去。“黑狼”也身手不凡，用右手遮住右眼，左手把手枪掏了出来。

“黑狼”虽说保住了自己的右眼，但右手却被褐马鸡啄出了一个小洞，鲜血直流，痛得“黑狼”哇哇乱叫。

褐马鸡缠住“黑狼”不放，见肉就啄，“黑狼”身上已几处出血。“砰”的一声枪响，褐马鸡中弹了，临死前还用爪子在“黑狼”手上抓出几道血沟。

“黑狼”一直在黑森林里称王称霸，何时吃过这种亏！他恶狠狠地朝已经死去的褐马鸡连开数枪。

突然，一队 3 只褐马鸡飞来，向“黑狼”又发起进攻。慌得“黑狼”连连开枪，这时枪声惊动了其他匪徒，他们也向褐马鸡连连开枪，掩护着“黑狼”撤退。3 只褐马鸡虽然都身负重伤，但它们仍然继续战斗，直至死亡。

四队褐马鸡全都战死了，黑蛋大喊一声：“停止进攻！已经伤亡了 20 只褐马鸡，不能再蛮干啦！”

与狼同笼

YULANGTONGLONG

黑蛋一看，褐马鸡这样进攻下去，必将全军覆没，立刻下令停止进攻。黑蛋正低头琢磨下一步的对策，“哗啦”一声，“黑狼”的一群打手把黑蛋围在了中间。这群打手围成一个正方形，人数分布如图。他们个个手持武器，大声叫喊着让黑蛋投降。

3	8	1
7		5
2	4	6

北 ↑

“要冲出去！”黑蛋先向北边冲。正北边有 8 名打手、东北角有 1 名打手、西北角有 3 名打手。他们看黑蛋朝北冲来，就立刻向中间靠拢，12 个打手站在一排，12 枝枪对准黑蛋大喊：“往哪儿跑！”

黑蛋一看向北冲不成，转身向南冲，站在南边的三伙人往中间一靠拢，不多不少也是 12 个打手。黑蛋向东、西两个方向也做了试探，每个方向也都是 12 名打手。

“哈哈……”，随着一阵怪笑，“黑狼”走了出来，他对黑蛋说：“你落入了我的迷魂阵。不管你往哪个方向冲，都有12名枪手阻拦你，可是我总的人数并不是48个，虽然你数学不错。但其中的奥妙你是不会知道的。”

7	0	5
2	4	6
3	8	1

黑蛋说：“你不过玩了个3阶幻方的小小把戏。原来是用0到8这9个数排成3×3的方格图，不管你是横着加，还是竖着加、斜着加都是12。你只不过是把各行的次序对换了一下，有什么了不起！”说完黑蛋在地上写了一行算式，画了一个图：

$$1+2+3+4+5+6+7+8=36。$$

“一共有36名打手，对不对？”黑蛋这一番话，说得“黑狼”一愣。

“对，对，好小子，你还真有两下子！我很喜欢你，非要你当我的干儿子！”“黑狼”两只眼死死盯住黑蛋。

黑蛋坚定地回答：“‘黑狼’，你死了这条心吧！我怎么会给你这样的坏蛋当干儿子呢？”

“哼，还敢嘴硬。把他关进我爱狼的笼子里，等我爱狼醒来，让它教训教训他！”“黑狼”一挥手，上来两个彪形大汉，架着黑蛋来到一个大铁笼子前，笼子里一只1米多长的灰狼正趴在一边睡觉，一个打手打开笼子门把黑蛋推了进去。

“黑狼”冷笑着说：“我刚给我的爱狼注射了点毒品，它瘾劲还没过去。它已有两天没吃东西了，等它醒过来，可要吃你的肉。咱们先走！”“黑狼”带着一群打手走了。

面对着这么一条大灰狼，黑蛋心里还真有点害怕。黑蛋心想，一个机智的少年不会等着让狼吃掉，我要想办法保护自己。这时跑来两只小猴，它俩对黑蛋说：“可恨的‘黑狼’，把你放进狼笼子里，你非被它咬死不可。要我们帮忙吗？”

黑蛋想了一下说：“你们俩去找一条结实的长绳子来！”两只小猴答应一声就跑了，没过多久，两只小猴用树棍抬来一捆绳子，黑蛋把绳子从铁笼子两边穿进来，一头拴在大灰狼的脖子上，测好了距离，另一头拴在自己的腰上，这样把绳子拉紧后黑蛋和大灰狼相距约 1 米。黑蛋把多余的绳子扔出铁笼外。

刚刚拴好，大灰狼睁开了双眼，它一看见黑蛋，“呼”的一下从地上爬了起来。两眼发出凶光，不住地“嗷嗷”乱叫。突然，身子往下一低就扑向了黑蛋。这时，绳子把黑蛋猛地往后拖，一直拖到铁笼子角上。黑蛋死死抱住铁栏杆，这样绳子的一头固定了，尽管大灰狼拼命往前扑，无奈绳子已经拉紧，绳子的另一头紧勒它的脖子，就是够不着黑蛋。

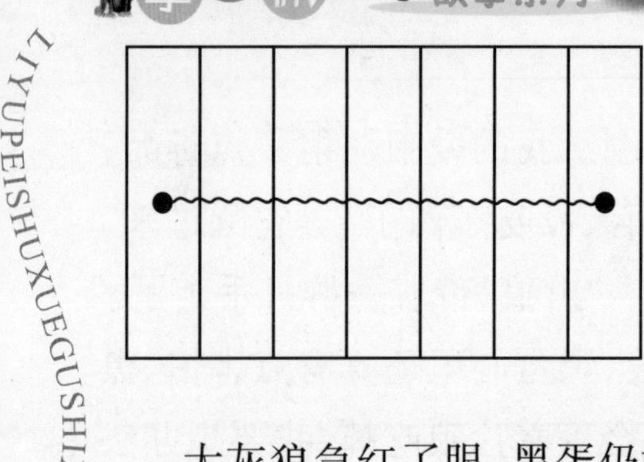

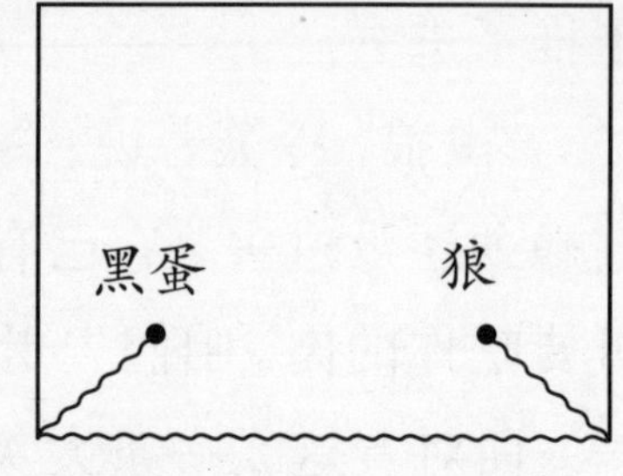

大灰狼急红了眼，黑蛋仍嬉皮笑脸成心气它，慢慢地大灰狼也发现了，自己越用力往前，拴在脖子上的绳子勒得越紧，越喘不过气来。大灰狼往后退了两步，想喘口气再往前扑。它这样一退，黑蛋不乐意了，赶紧向大灰狼迈了两大步，刚刚松弛的绳子立刻又勒紧了，大灰狼又感到喘不过气来。

大灰狼和黑蛋在铁笼子里斗了起来，你进我退，你退我进，不管怎么折腾，大灰狼与黑蛋的距离总保持在 1 米左右，黑蛋总不让绳子松下来，大灰狼总得不到喘息的机会。黑蛋与大灰狼的这番“表演”，两个小猴看得可高兴了。它们俩在笼子外面又拍手，又跺脚，又蹦又跳，一个劲儿地给黑蛋加油。

一只小猴对黑蛋说：“这只大灰狼特别坏，依仗着‘黑狼’的势力，大量捕杀各种动物，光我们猴子就叫它咬死了好几十只。”

另一只小猴说：“咱们把这只恶狼勒死吧！”

黑蛋一听，是个好主意。再一看，大灰狼也被折腾累了，“机不可失，时不再来”，黑蛋对两只小猴子说：“我用力向大灰狼那边走，你们在笼子外面帮我拉绳子！”两只小猴答应了。

黑蛋用足力气向大灰狼面前走，绳子拖着大灰狼往后退，没一会儿就把大灰狼拖到铁笼子角上无法再动了。黑蛋喊着“一、二”，与两个小猴子一起用力拉绳子，拴在大灰狼脖子上的绳子越勒越紧，勒得大灰狼一个劲地蹬腿，不一会儿，大灰狼就不动弹了。

小猴和黑蛋高兴地跳了起来：“好啊，我们胜利喽！”喊叫声惊动了“黑狼”。“黑狼”带着打手走过来。一看，啊，心爱的大灰狼被勒死了，而黑蛋在笼子里却安然无恙。“黑狼”再一看绳子的拴法，心中暗道：“真是个不好斗的小家伙呀！”

“黑狼”看见心爱的大灰狼被黑蛋勒死了，心里非常生气。再一看黑蛋设计的方法又转怒为喜。“黑狼”说：“虽然我失去了心爱的狼，但是我得到了一个聪明的干儿子，值啦！”

“黑狼”叫人把黑蛋从铁笼子里放了出来。“黑狼”拍拍黑蛋的肩头：“将来你替代我当黑森林的主宰，除了有好头脑，会算计，还要有好枪法。来人，摆好玻璃瓶，让这孩子练练枪法！”

只见两名匪徒抬出一张一条腿的圆桌，在桌上放好4个同样大小的玻璃瓶，每个玻璃瓶下面扣着一只活蹦乱跳的小松鼠。

“黑狼”招了招手，立刻走出4名匪徒，一字站好，举起手枪，每人瞄准一个玻璃瓶，“砰、砰、砰、砰”4声枪响，4个玻璃瓶全都碎了，4只小松鼠也全部被杀死。

“哈、哈”，“黑狼”看到被射杀的小动物发出了狂笑。黑蛋看到小动物被残杀，恨得直咬牙。

“黑狼”又命令摆上4个玻璃瓶，每个玻璃瓶中仍各扣一只小松鼠。“黑狼”掏出手枪也不瞄准，一抬手“砰、砰”两枪，每枪都射中2只瓶子，4只小松鼠也全部被杀死。

“好！”“真准！”众匪徒发出阵阵喝彩声。

“黑狼”洋洋得意地看了看黑蛋。他又命令匪徒再摆上4个玻璃瓶，下扣4只小松鼠。“黑狼”把枪递给了黑蛋：“不但要打碎玻璃瓶，还要打死瓶子里活蹦乱跳的小松鼠，打瓶子容易打松鼠难。你来试试，如果你10枪能把这4个瓶子打碎、松鼠杀死，就很不错啦！”

黑蛋二话没说，从“黑狼”手中接过枪，举枪瞄准圆桌，“砰”的一枪把圆桌的独腿打断了，桌面一歪，“哗啦”一声玻璃瓶全都摔碎了，4 只小松鼠趁机都跑掉了。

黑蛋这一枪，出乎“黑狼”的意料，他眼珠一转，说：“噢，我明白啦！你长了一副菩萨心肠，舍不得杀死这些小松鼠。好，咱们换个花样，不以动物为目标。”

两名匪徒抬上一张4条腿的方桌，桌上整齐地摆好 5 行 5 列，共 25 支点燃的蜡烛。矮胖子先掏手枪，“砰”的一枪，最左边的一行的5支蜡烛同时熄灭。众匪徒发出一阵叫好声。

依次又有 3 名匪徒，各自打了一枪，打灭了 3 行 15支蜡烛。接着，“黑狼”又打灭了最右边一行的 5 支蜡烛。这群匪徒枪法确实都够准的。

25支蜡烛重新点着了。“黑狼”把枪递给黑蛋：“如果你一枪能打灭一支蜡烛，就算你的枪法不错！”

黑蛋有点犹豫了。蜡烛头那么小，自己绝不可能一枪就把它打灭，黑蛋正为难，突然听到头顶上有一只小山鹰对他说：“我可以帮你把蜡烛先扇灭。”当然鸟兽的语言，除了黑蛋以外，别人是听不懂的。

黑蛋想了一下说：“我在地上画个图，凡是我画圈的蜡烛你都把它扇灭。”小山鹰很痛快地答应了。

“黑狼”问：“你自言自语说些什么？快打呀！”

黑蛋说：“我需要先画个图，想办法让子弹拐着弯儿走，而且我打灭 5 支蜡烛后，你们谁也不可能再一枪同时打灭 5 支蜡烛！”说完黑蛋在地上画了一个图，其中有 5 个圆圈。黑蛋这番话把众匪徒都听愣了，议论纷纷。“子弹会拐弯儿？”“他打过这一枪后，别人再也不可能同时打灭 5 支蜡烛？神啦！”

“黑狼”当然也不信，他说：“你打一枪给兄弟们看看，也好让他们长长见识。”

黑蛋把枪举了起来，与此同时小山鹰从树上飞了下来，在蜡烛上面盘旋。黑蛋故意地说：“小山鹰快飞走，以免误伤了你！”小山鹰不但不飞走，而且越飞越低。“黑狼”叫喊：“讨厌的山鹰，找死呀！”说完就要拿枪。不能再迟疑，黑蛋一扣扳机，“砰”的一枪，小山鹰假装

受伤，歪着身子往蜡烛上扑，两只翅膀左右扇动，把 5 支蜡烛扇灭了。由于这个过程是在一瞬间完成的，很难分清这灭掉的 5 支蜡烛是枪打的呢，还是小山鹰给扇灭的。

黑蛋对“黑狼”说：“看，我这一枪，把不在同一行的 5 支蜡烛打灭了。你们谁再能一枪打灭 5 支蜡烛，我就服谁！”

众匪徒一看，都感到奇怪，这打灭的蜡烛是一行里一支，就是斜着打，至少也要两枪才行。有的匪徒想找出一行同时点燃的 5 支蜡烛，但是不管你是横着找，竖着找，还是斜着找，都找不到。众匪徒不得不佩服黑蛋的本事！

“黑狼”发出“嘿嘿”一阵冷笑，这声音似笑，似哭，似狼嚎！使人感到毛骨悚然！“黑狼”一抬手，“叭”的一枪，小山鹰应声落地。“黑狼”说：“跟我耍这种小把戏，想骗过我？再高明的枪手也不能叫子弹拐弯！”

黑蛋急忙跑过去，轻轻地抱起了小山鹰，眼里噙着泪水说：“小山鹰，是我害了你！”小山鹰胸部中弹受了重伤，鲜血浸湿了羽毛。它有气无力地对黑蛋说：“你……抱着我去见‘黑狼’。”黑蛋抱着小山鹰慢步走近“黑狼”，把小山鹰托到“黑狼”的面前。

“黑狼”微微一笑，问道：“死了吗？”他的话音未落，小山鹰“噌”地蹿了起来，照着“黑狼”的右眼狠命地啄了一下。“黑狼”没有防备，立刻右眼血流如注。“黑狼”大叫一声，抓起小山鹰狠狠地摔到了地上。

逃离地堡

TAOLIDIBAO

勇敢的小山鹰临死前啄瞎“黑狼”的右眼。“黑狼”一怒之下将黑蛋打入监牢。

两名匪徒将黑蛋架到一个地堡前,门口有一个拿枪的匪徒在看守，他从口袋里掏出钥匙打开地堡的门。一名匪徒对看守说:“这名儿童可是非卖品,千万别让他跑了!你要是让他跑了,‘黑狼’非揪掉你的脑袋不可!”

黑蛋被推进了地堡,呀!地堡里还关着十几名儿童,这些儿童肯定和自己一样是被骗来的。小伙伴见面分外亲热,互相问长问短。从这些儿童嘴里知道,“黑狼”给他们饱饭吃，怕饿瘦了会影响卖出去的价钱。只是不许他们走出这座地堡。

黑蛋忽然想起来,在临来前警察叔叔曾送给他一个纽扣样的东西,不知有什么用。他拿出来一看,和一个普通的大衣纽扣没有什么区别，中间有两个孔，圆圆的，只是比一般纽扣重。黑蛋把纽扣翻到背面，见后面有一个小红点,无意中用手按了一下,一个细微但清晰的声音从纽

扣中传出来："黑蛋吗？你好！这是一个微型对讲机，你现在情况怎样？"

黑蛋听出是警察王叔叔的声音，心里那个激动劲就别提了，他把进入黑森林的经历简单汇报了一下。王叔叔夸奖他干得好，并给他布置了 3 项任务：弄清匪徒的确切人数和武器配备情况；弄清楚被骗走的儿童有多少，藏在什么地方；掌握"黑狼"贩卖毒品，残杀珍稀动物的证据。

黑蛋心想，我被送进地堡里出不去，怎么了解这些情况呢？他想起了林中的鸟兽。通过地堡的小窗户，他看到窗外有一只小麻雀在地上啄食，黑蛋央求小麻雀把小猴子找来。不一会儿，小猴子活蹦乱跳地跑来了。黑蛋让它偷看守腰上的钥匙，小猴子点点头答应了。

黑蛋用力敲门："我要喝水！渴死我了，我要喝水！"

"吧哒"

一声，门开了一个小缝，一双凶狠的眼睛向里看："喊什么？再喊我枪毙了你！"当他看清是黑蛋要喝水，态度立刻好起来。他递进一个水碗说："你要喝水呀！给你水，喝吧！"

黑蛋接过碗，一边喝水，一边聊天："你一个人在这儿看着我们，不闷得慌吗？"

"怎么不闷？闷了就抽口烟。'黑狼'交给的任务，不能不完成啊！"

"我教你玩一个'幸运者游戏'，可好玩啦！你要能算出数字 100 来，3 天以内你必定走好运！"

"真的？怎么个玩法？"匪徒很感兴趣。

黑蛋说："你随便找一个自然数，将它的每一位数字都平方，也就是自乘一次，然后相加得到一个答数；将答数的每一位上的数字再都平方、相加……这样算下去，如果你能得到答数是 100，3 天之内我保你发大财。"

"嗯……我想到一个数 85，我按你说的方法做一下。"匪徒真的算了起来：

$8^2+5^2=64+25=89$；

$8^2+9^2=64+81=145$；

$1^2+4^2+5^2=1+16+25=42$；

$4^2 + 2^2 = 16 + 4 = 20$；

$2^2 + 0^2 = 4 + 0 = 4$；

$4^2 = 16$；

$1^2 + 6^2 = 1 + 36 = 37$；

$3^2 + 7^2 = 9 + 49 = 58$；

$5^2 + 8^2 = 25 + 64 = 89$……

这个匪徒并没有发现，这里又出现了前面已经出现过的 89，他为了得到答数 100，为了发大财，傻呵呵地一直算下去，算出的答案仍旧是 145、42、20……

黑蛋看到时机已到，向窗外做了个手势。小猴子偷偷地绕到匪徒的身后，从他腰上把地堡门的钥匙轻轻地摘了下来。

突然，两只野兔出现在前面的草地上。两只野兔乱蹦乱跳惊动了这个匪徒，他自言自语地说："好肥的两只兔子，逮住它晚上烤烤吃，别提有多香啦！"他刚想拿枪，又想到这里不能随便开枪，因为一开枪就表示地堡出事啦！匪徒想逮活的，他轻轻地向两只野兔摸去。

两只野兔好像没有感到危险的来临，仍旧在那儿又蹦又跳。当匪徒向野兔全力扑过去时，野兔敏捷地跑开了。它们并不跑远，继续在不远的地方蹦跳，匪徒又一次扑过去，又扑了一个空。野兔引着这名匪徒越走越远……

小猴子赶紧拿出钥匙把地堡门打开，黑蛋领着十几名儿童跑了出来，他们消失在密林之中。

匪徒扑了一身土也没能逮住野兔，骂骂咧咧地走了回来。他回想刚才做的数字游戏，仔细一琢磨，嗯？怎么算出来的总是这几个数啊？我掉进了数字陷阱里了。他探头往地堡里一看，一个小孩也没有了。再一摸后腰上的钥匙，啊，钥匙也不见了！坏了，这群小孩逃跑啦！

匪徒一边跑一边喊："不好啦！小孩都逃跑啦！"

"黑狼"右眼戴着一个黑色眼罩从屋里走了出来。他"嘿嘿"一阵冷笑："一群孩子想逃出这黑森林？做梦！他们不知道怎么走法，插翅难飞。不过，那个黑蛋懂得鸟兽的语言，我们要多加小心。全体弟兄，4人一组，给我向各个方向搜查，一定要把他们抓回来！"

DUOQIANGDEZHANDOU 夺枪的战斗

黑蛋带领十几名儿童逃离了地堡。

一名儿童问黑蛋："咱们往哪儿走？"

是啊，在这茫茫林海中哪一条是回家的路？黑蛋心里没底。有的说，任意乱走总能碰到一条通往外面的路；有的说，大家分成几拨，各自走自己的路。黑蛋认为这些走法都不成，这么大的一片森林，瞎闯是很难闯出去的。即使不被"黑狼"抓住，也会饿死。

忽然，一只大山鹰飞来了。它对黑蛋说："我带你们走吧，我认识路……"说到这儿大山鹰有点说不下去了。

黑蛋觉得十分奇怪，忙问："你怎么啦？"

大山鹰说："我的小山鹰被'黑狼'杀死了，我要替我的儿子报仇！"

原来它是勇敢的小山鹰的妈妈，黑蛋心里十分感动。他让大山鹰带领这十几名儿童赶快逃离黑森林。

孩子们问："你呢？"

"我现在还不能走，有些事情还没办完。"黑蛋看着大家走远了，返身又往回走。按照警察王叔叔的布置，他还得把“黑狼”匪帮的人数以及罪证调查清楚。他看见地上有一行蚂蚁在忙碌地搬运着食物。

黑蛋俯下身来问：“你们从哪儿搬来这么多好吃的？”

“从厨房搬来的。”一只蚂蚁放下食物说，“‘黑狼’的厨房新来了一个厨师，做了好多好吃的，我们就是从那儿弄来的。”

黑蛋看到有的蚂蚁把食物放到窝里以后，又向厨房跑去。黑蛋跟着这些蚂蚁向厨房走，厨房周围没有匪徒，大概都去抓逃跑的儿童了。黑蛋溜到厨房门口偷偷地往里看，只见一名胖胖的厨师正在切肉。黑蛋一回头，发现一只黑熊闻着香味，向厨房走来。

黑蛋把黑熊叫了过来，让它进去把厨师抱住。黑熊点点头，蹑手蹑脚地溜进了厨房。突然，厨房里发出“嗷”的一声嚎叫，接着有人喊：“狗熊吃人啦！快救命啊！”黑蛋立即走进厨房，只见黑熊紧紧地搂住了胖厨师，胖厨师吓得浑身打颤。

黑蛋问：“你是厨师，一定知道‘黑狼’这儿一共有多少人。”

胖厨师战战兢兢地说：“我是……刚刚被抓来的，我……真不知道他们有多少人。”

黑蛋看到大盆里有许多还没洗的碗，问：“这是他们

刚用过的碗吗？”

“是，是，”胖厨师说，“中午我给他们做了3个菜。2个人一碗红烧鹿肉，3个人一碗蛇羹，4个人一碗清炖山鸡。‘黑狼’单独吃，他一个菜用一个碗。”

黑蛋数了一下，总共有68只碗，除去“黑狼”一个人用了3只碗以外，还剩下65只。黑蛋心想，我可以根据这65只碗，算出一共有多少匪徒。

2个人一碗红烧鹿肉，每人占$\frac{1}{2}$只碗；

3个人一碗蛇羹，每人占$\frac{1}{3}$只碗；

4个人一碗清炖山鸡，每人占$\frac{1}{4}$只碗。

用总的碗数除以每人所占的碗数，就是吃饭的人数：

$$65 \div \left(\frac{1}{2}+\frac{1}{3}+\frac{1}{4}\right)=65 \div \frac{13}{12}=60\text{（人）。}$$

加上“黑狼”总共61人。黑蛋知道了匪徒的确切人数，拿出微型对讲机，向警察王叔叔作了汇报。

下一步是

弄清楚这群匪徒的武器装备情况。忽然，黑蛋听到一阵嘈杂的脚步声和叫骂声，知道“黑狼”他们回来了，赶紧放开胖厨师，拉着黑熊躲到厨房的后面去了。

“黑狼”显得异常恼怒，他大声喝斥着众匪徒：“你们都是干什么吃的？连几个小孩都抓不回来！他们人生地不熟难道能飞上天？”众匪徒都低着头，一动也不敢动。

“他们如果逃出了黑森林，必然被警察发现。警察一旦发现我们的藏身地点，肯定会来进攻。”说到这儿“黑狼”停顿了一下，倒背双手在地上踱了两步，回头命令道：“黑胖子，你速去秘密武器仓库，清点一下那里的轻重武器各有多少，速来汇报！”

“是！”黑胖子答应一声转身就跑。

好机会！黑蛋立刻跟在后面。别看黑胖子长得又黑又胖，跑起来却很快，不一会儿就把黑蛋甩在后面，再加上林密草高，三转两转就找不到黑胖子了。黑蛋正着急，忽然觉得腰上顶上了一个硬邦邦的东西，刚想回头，就听后面有人喝道：“不许动！我以为是什么动物跟着我呢！原来是你呀！走，跟我见你的干爹去！”

没办法，黑蛋只好被他押着往回走，没走几步惊动了草丛中的一条眼镜蛇，它直立着上身，晃动着板铲似的头部，一副要进攻的样子。黑蛋小声对眼镜蛇说：“我后面的人刚刚吃完用你们蛇肉做成的菜，他要发现了你，一定

会打死你做菜吃。你帮帮我……”黑蛋如此这般地交待了一番。

黑胖子没看见眼镜蛇，一个劲儿地催促黑蛋快走。突然，他觉得腿被什么东西缠住了，低头一看，是一条眼镜蛇，顿时吓坏了。他刚想用手枪打，黑蛋趁他不注意，双手紧握住手枪柄夺枪。黑胖子虽说是大人，可是也架不住人和蛇两面夹攻，枪被黑蛋夺去了。

黑蛋用枪捅了黑胖子一下说：“带我去秘密武器仓库！”

黑胖子冷笑了两声说：“那儿有两个兄弟把守，没有口令别想靠近仓库！”

黑蛋想了一下说：“这样吧，我让眼镜蛇钻进你的衣服里面。”

“啊！”黑胖子怕极啦。

秘密武器库

MIMIWUQIKU

黑胖子听说让眼镜蛇钻到自己衣服里面，吓坏啦！他哆哆嗦嗦地哀求说：“别钻，别钻，我最怕蛇，我投降！”

黑蛋还是让眼镜蛇从黑胖子的裤腿钻进了裤子里。黑蛋把手枪里的子弹拿了出来，把黑胖子身上的子弹夹搜了出来，一起扔掉。然后又把手枪交还给胖子说：“你用枪押着我去秘密武器库，你照我说的去做，不然的话，你留神趴在腿上的毒蛇！”

“是，是。”黑胖子频频点头。黑蛋前面走，黑胖子拿着枪小心翼翼地在后面跟着。拐了几个弯儿来到了一个洞口旁，黑蛋探头往里看，只见这个洞黑乎乎的深不见底。

黑胖子说：“往里走吧！秘密武器就在这个洞里。”黑蛋点点头勇敢地走进了洞中。他们在洞里拐了几个弯儿。当拐过第一个直角弯儿时看到了微弱的灯光。再拐过一个直角弯儿，就看到了明亮的灯光。忽听有人大喝一声:“口令?”

黑胖子赶紧回答:“狼吃羊!”两个人站住了。

黑蛋心想,连口令都弱肉强食,真是一伙十恶不赦的坏蛋。黑蛋一抬头无意中看见左右两边的洞壁上挂着许许多多的蝙蝠,它们一个抓住一个形成了两个大的倒三角形。数了一下,一个三角形的底边由98只蝙蝠组成,另一个三角形的底边由89只蝙蝠组成。

这时走出一个拿长枪的守卫,看见黑胖子点点头说:“是胖哥呀!到这儿来有事吗?”

“‘黑狼’叫我把军火库清点一下,警察可能要来进攻。”

“这个小孩是干什么的?”

“这个……这个……”黑胖子不知说什么好。

黑蛋接过话茬说:“我是被你们骗来的小孩。”

守卫又问:“有专门押小孩的地堡,把你带到这儿来干什么?这个地方是你随便来的吗?”

“外面嚷嚷什么?”又一名守卫从里面走了出来。黑胖子一看来了两个同伙,心里有了底气儿。他把手枪换为左手拿,右手顺着蛇身摸向蛇的七寸。这个地方是蛇的要害,一旦蛇的七寸被人握住,就会被致于死地。

黑胖子的这些动作,黑蛋都看在了眼里。怎么办?面前是3个持枪匪徒,我只是一个赤手空拳的孩子,硬斗是斗不过他们的。突然,黑蛋想到洞内的蝙蝠,它们总共有多少只呢?

它们排成的外型虽然是三角形,在计算总数时,可以按梯形面积公式来计算。由于是个倒放的梯形,把其中一个梯形上底看作 98 ,下底看作1,总共有 98 排,高就是 98 ,这样可求出:

$$蝙蝠数=\frac{(98+1)\times 98}{2}$$

$$=4851(只);$$

同样可求出另一个倒三角形的蝙蝠数:

$$蝙蝠=\frac{(89+1)\times 89}{2}=4005(只)$$

好,合在一起共有 8856 只蝙蝠,这是一股不小的力量。

黑胖子一下子抓住了蛇的七寸,他大声对两名守卫说:“这小孩是警察派来的奸细,快把他抓起来!啊……”刚说到这儿,黑胖子“扑通”一声倒在了地上。

两名守卫端起枪命令黑蛋举起手

来。黑蛋在举手的同时，向蝙蝠发出了攻击命令。刹那间，近9000只蝙蝠一起从墙上飞了下来，轮番扑向两名守卫。尽管两名守卫连连开枪，但是蝙蝠太多，铺天盖地而来，两名守卫只好抱头鼠窜，跑到里面见无路可逃就举手投降了。

黑蛋看见黑胖子倒在地上已经死了，但他的右手还死死地握着眼镜蛇的七寸，眼镜蛇被掐死了。黑蛋跟随大批蝙蝠向秘密火药库——山洞跑去。进了洞的大门，看到里面都是大大小小的木箱子，他抓住一名守卫问："枪支弹药呢？"

守卫指着木箱子说："都在这些木箱子里。"

"总数有多少？"

"总数只有'黑狼'和黑胖子两个人知道。"

"你们当守卫的，难道一点儿情况都不知道？"

"我记得黑胖子在给我们讲这些枪支的来历时，曾给我出过一道题。"守卫说，"黑胖子说这些枪支是从一列军用列车上劫来的。那次黑胖子亲自带着8个弟兄去劫车：黑胖子抱走了军用列车上枪支的十二分之一；'黑豹'每7支枪他拿走1支；八分之一被'黑虎'抱走；'黑熊'抱的枪支比'黑虎'多1倍；'黑猫'最废物，只拿走了全部枪支的二十分之一；你别看'黑鼠'个小，他拿的枪支是'黑猫'的4倍。最后3个弟兄也个个不空手；'黑蛇'拿了30支。

‘黑鹰’拿了120支,‘黑狐’拿走300支,最后还剩下50支枪实在拿不了啦!”

黑蛋说:“有数就能算,数多也不怕。先求出黑胖子、‘黑豹’、‘黑虎’、‘黑熊’、‘黑猫’、‘黑鼠’6个人抱走的枪支占总数的$\frac{1}{12}+\frac{1}{7}+\frac{1}{8}+\frac{1}{4}+\frac{1}{20}+\frac{1}{5}=\frac{715}{840}=\frac{143}{168}$。剩下的占$1-\frac{143}{168}=\frac{25}{168}$,而剩下部分的枪支数为$30+120+300+50=500$(支),这样就可以求出军用列车上的枪支总数是$500\div\frac{25}{168}=3360$(支),减掉没拿走的50支枪,这里共有3310支枪。真不少!”黑蛋拿起微型对讲机,把“黑狼”所藏枪支总数及地点报告给警察王叔叔。

王叔叔告诉黑蛋,围剿“黑狼”的警察部队已经出发,战斗即将打响,黑蛋高兴地喊道:“‘黑狼’的末日到啦!”

活捉"黑狼"

HUOZHUOHEILANG

黑蛋得知警察部队已开进黑森林围剿"黑狼",心里非常高兴。他琢磨了一下,觉得"黑狼"一定会往这里跑,一来这里有大量武器弹药;二来这个地方易守不易攻。"我应该断了他的退路!"黑蛋召集黑森林里的许多动物,布置消灭"黑狼"匪帮的任务。这些动物平日被"黑狼"肆意杀戮,今天听说要消灭"黑狼"匪帮,个个摩拳擦掌,跃跃欲试。

黑蛋刚刚布置好,"乒乒、乓乓",警察部队和"黑狼"匪帮就交上火了。双方打了一个多小时,"黑狼"这边的子弹快用完了。"黑狼"一招手,喊了声:"往秘密武器库撤!"匪徒们边打边撤,慢慢地靠近了洞口。

在洞口前面,黑蛋让100多只鼹鼠在地下挖出一个大陷阱,上万只黑蚂蚁在陷阱底下埋伏好,等待着"猎物"掉进陷阱中。

枪声越来越近,黑蛋从洞口已经看到匪徒了。黑蛋说了声:"准备!"忽听"扑通""妈呀"的声音,5名匪徒掉进了陷阱里，上万只蚂蚁立刻扑了上去，狠咬他们。

“黑狼”大喊一声：“留神，有陷阱！”匪徒们小心翼翼地绕过陷阱来到了洞口。黑蛋大喊一声：“出击！”埋伏在洞里的狗熊、狐狸、梅花鹿一齐冲了出去，它们或扇、或咬、或顶，匪徒们没有思想准备，吓得“嗷嗷”乱叫。与此同时，从树上飞下来一大群山鹰，跳下了几百只猴子，它们或啄、或抓、或挠。蛇和蚂蚁从地下进攻，形成了陆上、地下、空中三面夹攻的阵势。尽管匪徒们手中有枪，此时也不知道打谁好。警察部队追了上来，也被这里的人兽大战惊呆了。

带队的王叔叔高声喊道：“放下武器，举手投降！”匪徒们纷纷扔掉手中的武器，高举双手。黑蛋也命令动物们停止攻击。这一场人兽大战，使匪徒个个伤痕累累。

警察清点了匪徒人数，连死带伤总共59人。黑蛋忙说："不对，应该是61人。"仔细一查对，发现"黑狼"和一名叫"鬼机灵"的匪徒漏网了。

警察审讯被俘的匪徒，得知"鬼机灵"曾给"黑狼"挖掘过一个秘密通道。通道一直通往黑森林的外面，至于通道的具体位置谁也不知道。

"一定要把'黑狼'和'鬼机灵'抓住，要斩草除根！"王叔叔想了想说，"我想秘密通道肯定离这儿不远。刚才我亲眼看见'黑狼'朝这个方向逃跑的！"

黑蛋说："这些匪徒中，不可能一个也不知道秘密通道在哪儿，要动员他们坦白交待。"

经过做工作，一个和"鬼机灵"很要好的匪徒说出了一个重要情况。他说："前几个月，'鬼机灵'每天晚上都出去，我问他干什么去？开始，他总笑而不答，后来被我问得没办法了，便给我出了一道题。"

"一道题？"黑蛋觉得很新鲜。

"'鬼机灵'对我说，他每天晚上都去一个秘密地点挖地道。地道位置是从这个洞口往南走若干米，虽然路程不远，但是中间却要休息三次。第一次当走到全程的$\frac{1}{3}$时，坐下来休息一会儿；第二次当走到余下路程的$\frac{1}{4}$时，又休息2分钟；第三次当走完再余下路程的$\frac{1}{5}$时，又站着休息了一会儿，这时总共走了240米。你有能耐就自己算吧！”这名匪徒摸了摸脑袋说，“我一直没能算出来秘密地道的具体位置。”

“我来算。”黑蛋自告奋勇地说，“这个问题只要先算出‘鬼机灵’走的三段路各占全部路程的几分之几就成了：

第一段走了全部路程的$\frac{1}{3}$，

第二段走了全部路程的$(1-\frac{1}{3})\times\frac{1}{4}=\frac{1}{6}$，

第三段走了全部路程的$(1-\frac{1}{3}-\frac{1}{6})\times\frac{1}{5}=\frac{1}{10}$，

三段合在一起走了全部路程的$\frac{1}{3}+\frac{1}{6}+\frac{1}{10}=\frac{3}{5}$。

这样，全部路程为$240\div\frac{3}{5}=240\times\frac{5}{3}=400$（米），好了，秘密地道从洞口往南走400米。”

两名警察立刻拿出米尺，从洞口向南量了400米，发现了一个锅口大小的洞口。这就是那个秘密通道？这么小的洞口，仅能容一个人。黑蛋说自己个子小，往里钻容易，低头就要往里钻。王叔叔赶紧一把拉住了黑蛋说：“危险！”

王叔叔掏出手枪朝洞口内“砰、砰”连开两枪，“砰、砰、砰”里面向外连开三枪。吓得黑蛋直吐舌头。王叔叔向洞里喊话，叫“黑狼”和“鬼机灵”投降。但是，里面只是一个劲儿地向外开枪。有人建议在洞口放上树枝，点着用烟熏，可是警察接近不了洞口，有一名警察勇敢地冲了上去，结果胳膊上中了一枪。

有人建议用火焰喷射器向洞里喷火。王叔叔摇摇头说：“要抓活的！从‘黑狼’那儿还可得到许多重要线索。”

既不能把“黑狼”打死，又不能冲进洞里抓活的，这可怎么办？

黑蛋用手拍了拍自己的大脑门儿，说：“我有主意啦！”黑蛋会动物的语言，他让蛇、蚂蚁、鼹鼠钻进去，把里面的两个坏蛋轰出来。

只见无数的蚂蚁、几十条蛇和鼹鼠从洞口或地下，以及一些通往洞里的小洞，一齐向洞里发起进攻。没过多久，就听到里面乱喊乱叫。又过了一会儿，里面喊：“别开枪，我投降！”只见“鬼机灵”在前，“黑狼”在后，从洞口爬了出来，他俩身上爬满了蚂蚁，胳膊和腿上都缠有几条蛇。

“黑狼”匪帮被全歼，被拐卖的小孩全部得救了。只是有一件事让黑蛋非常伤心，因为他再也听不懂动物的语言了。只见百灵鸟对他叫，小猴子对他叫，胖黑熊对他叫……黑蛋知道，它们都是和他道别。可是，道别的话儿是什么呢？只好由黑蛋去猜测了。

李毓佩数学故事系列

LI YU PEI SHU XUE GU SHI XI LIE

沙漠小城的奇遇

神秘之门

SHENMIZHIMEN

铁蛋和铜头是同班同学，两人利用放暑假的机会，参加了沙漠旅行团。

到达沙漠之后，一望无际的沙漠吸引了他们俩。两个人十分兴奋，手拉手在沙漠中狂奔，在沙子里打滚。玩得太高兴了，他们竟忘记了旅行团集合的时间。等想起该归队时，又迷失了方向。

怎么办？两人大声喊叫，周围一点声音也没有。铜头一屁股坐在地上，低着头小声说："完了！咱俩要被困死在沙漠里了。"

"唉，都怪咱俩不遵守旅行团的纪律，又迷失了方向，旅行团的叔叔也要急死了！"铁蛋突

然眼睛一亮说，“咱俩不能坐在这儿等死，一定要想办法找到旅行团！”

两人站起来向四周察看，想找一个高一点的地方，登高望远，也许能发现旅行团的踪迹。铜头向北一指，说：“看，那里有一个沙丘！”两人直奔沙丘跑去，铁蛋往沙丘上爬去，脚下不知被什么东西绊了一下。

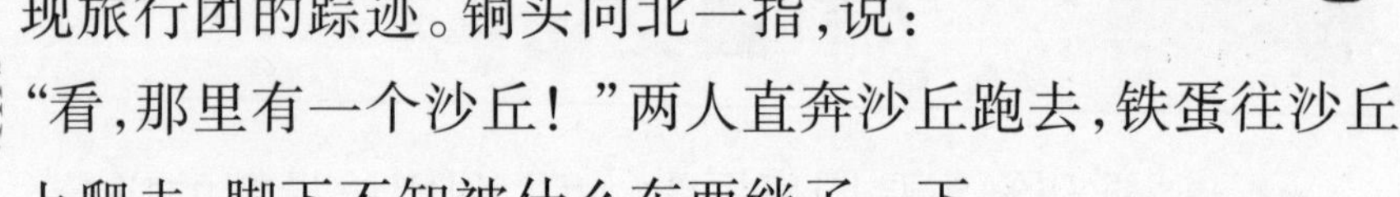

铁蛋用手扒了扒，发现沙子里埋着一块方方正正的石板。石板上画了许多小圆圈（如图 1），还刻着一行字：“这块石板是通往奇妙世界的神秘之门，从上面正中间的小圆圈开始，按箭头所指的方向，一笔画出四条相连的线段，使得这些线段恰好通过这 9 个小圆圈。线段经过的最后一个圆圈，就是开启神秘之门的钥匙。”

图 1

图 2

铜头来神了，说：“咱俩一定要打开这扇神秘之门，到奇妙世界去玩玩！”说完就开始画，铁蛋也在一旁出主意，不一会儿，他俩便画出来（图 2）。

铜头问：“就是这个圆圈！怎么办？”

铁蛋果断地说：“按！用力按！”

铜头闭上眼睛，用力去按最后一个圆圈。

沙漠之城

SHAMOZHICHENG

铜头对准圆圈，用力一按，只听“轰隆”一声响，石板向左边挪开，露出一个黑洞洞的入口。两人急忙往旁边一跳，铜头大叫：“真玄啊！差点儿没掉进去。”

铁蛋扒着洞口往里看：“里面还挺大，咱俩下去看看？”

铜头用手摸了一下铁蛋的前额，问：“你是不是有点发烧啊？你知道这下面是什么地方，就敢往里跳？”

铁蛋说：“下面是奇妙的世界啊！这下面一定很神秘，很有趣。我想下去看看。”

“我不能让你一个人去冒险，要下去咱俩一起下去！”说着铜头就要往洞里跳。

“慢着！”铁蛋拦住铜头说：“咱们在石板上留下几句话，如果旅行团的人找到这儿，就会知道咱俩在洞里。”说着铁蛋掏出笔，在石板上写了一行字：“铜头和铁蛋进洞到奇妙的世界去了！”

铁蛋带头，铜头跟后，两人“扑通”、“扑通”跳进了洞里。他揉着眼睛，借助洞口透进的阳光，发现脚下是石板

铺成的人行道，道路的尽头是两扇大门。两人走近大门，见大门旁放着许多火把。铁蛋掏出打火机，点着了两支火把。他俩看见门上写着：“欲开此门，要填对下面 10 个对立的概念：奇与□，有界与□□，善与□，左与□，少与□，雄与□，直与□，正与□，亮与□，静与□。”

铁蛋说：“咱俩一人填 5 个，我先填：奇与偶，有界与无界，善与恶，左与右，少与多。”

“看我的！”铜头也不含糊，“雄与雌，直与曲，正与反，亮与暗，静与动。”两人核对无误，就填在门上。

刚刚填完，只听“轰隆隆”一声响，两扇门自动打开了。两人手拉手跑进门里，里面有一条小河，河上架有一座石头桥，桥旁还立着一块牌子。铜头也不看牌子上写的什么，迈腿就上桥，只见桥上的石头一歪，“扑通”一声，铜头掉进河里。

“铜头！”铁蛋惊恐地大叫一声。

过桥难题

GUOQIAONANTI

铜头虽说掉进了河里，但是河里连一滴水也没有。铜头站起来，拍了拍身上的土，伸出手说："拉我上去！"铁蛋一用力就把铜头拉了上来。

铁蛋说："这里立着一块牌子，你过来看看。"

牌子上写着："你们要过桥，就得帮我们一个忙。我们这里原来树木非常茂密，由于乱砍乱伐，林木急剧减少。我们准备大量植树，可蒙克大臣反对种树，他说，除非能把 16 棵树栽成 12 行，每行 4 棵，否则他将出兵干涉！如果你们能把栽法画在这块牌子上，就能顺利过桥。"

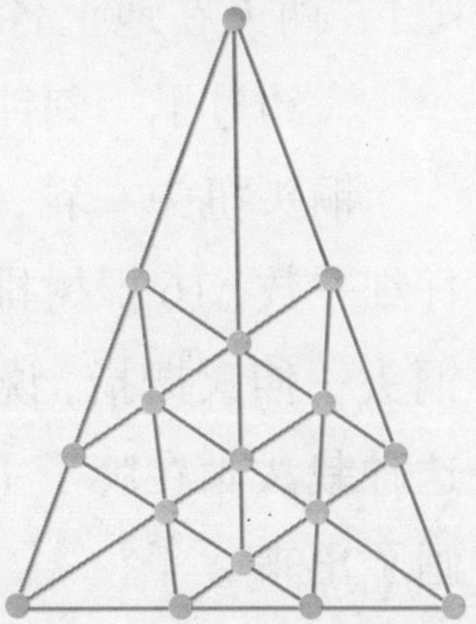

铜头说："这也太难了！16 棵树一棵树一行，才 16 行。他要求每行 4 棵，而且要栽 12 行，我看这个蒙克大臣是成心刁难人！"

铁蛋却另有看法。他说："栽得巧，一棵树可以算在好几行里，关键是这些树的位置如何

排列。”

铜头点点头，说：“也许你说得有理，咱俩就排一排吧！”两人在地上各自画了起来。

大约过了一刻钟，铁蛋大喊一声：“看，我排出来了！”

铜头扭头一看，只见铁蛋画了一个三角形(如图)，他仔细一数，16 棵树排成了 12 行，每行不多不少正好 4 棵。铜头一伸大拇指，说：“成！完全符合要求。咱们赶紧把这种栽法画在牌子上。”说完铜头把铁蛋的栽法在牌子上画了出来。

铜头刚才掉下桥一次，这次过桥还有点害怕。铁蛋

说："我在前头走！"铁蛋在前，铜头在后，两人顺利通过了桥。

走着走着，两人发现许多房子。这里过去可能是一个城堡，不知是什么原因，被埋在沙子底下，现在空无一人。可能当时的居民已经意识到城堡将被埋没，他们给城堡上面盖了一个大顶子，使得沙子没有进来，城堡被完整地保存下来了。

突然，铜头往前一指，大叫："看，前面有人！""有人？这怎么可能！"铁蛋一看，在一间房子的门口果然站着一个穿皮袄的人。铁蛋壮着胆子，大声问："你是谁？"

穿皮袄的人

CHUANPI'AODEREN

铁蛋喊了一声,可是那个穿皮袄的人一点反应也没有。铁蛋和铜头握紧拳头悄悄靠了上去,走近一看,才发现这个人已经死了好久了,在他脚下有一个大口袋,里面装的全是铁锹、锤子、凿子等挖坟工具。

铁蛋说:"看来这个人是来古堡偷盗的,不知为什么死在这儿了。"

铜头对这个人上上下下仔细查看了一遍,突然指着这个人的脑门儿正中说:"快看啊! 这个地方有一个洞。"铁蛋凑近一看,果然有一个小洞,好像是被枪弹打的。

铁蛋回过头来看看,发现门的上方也有一个小洞。显然子弹是从那个小洞里射出来的,再往下看,看见门上画

1		6
	71	
3		5

2		5
	94	
4		7

4		8
	(　　)	
6		1

着三个方框,里面写着数字,下面还有两行字:"这三个方框里的数字之间是有规律的,而且这三个方框有相同的

规律。如果能正确填出第三个方框中括号中的数，可顺利打开此门，否则白搭进一条命！”

铜头伸了一下舌头：“看来这个穿皮袄的人是白搭了一条命。”

铜头拿着笔，问铁蛋：“这括号里应该填几呀？”

铁蛋摇摇头：“我也不知道。咱俩可以先从左边和中间的方框找出规律。”

铜头拍了一下自己的大脑袋说：“由于中间数字大，四角上的数字小，我想中间的大数应该是四角上的数的运算结果。”

经过一番试验，铁蛋首先找到左边框里的数字规律：

$1 \times 1 + 6 \times 6 + 3 \times 3 + 5 \times 5 = 71$。

铜头也找到了中间框的规律：

$2 \times 2 + 4 \times 4 + 5 \times 5 + 7 \times 7 = 94$

铁蛋说：“就按着这个规律算右边的数字。”

$4 \times 4 + 6 \times 6 + 8 \times 8 + 1 \times 1 = 117$

铜头把117填进括号里，伴随着一阵美妙的音乐声，门“咯噔”一声打开了。

沙漠之英

SHAMOZHIYING

门打开了，铁蛋和铜头小心翼翼地推开了门，用火把往里一照，屋子里空荡荡的，只见地上栽着1棵半死不活的小树苗。

铜头在屋里转了一圈儿，疑惑不解地说："哪有什么宝贝呀？"

铁蛋一指地上的小树苗，说："这棵树苗就是宝贝。"铜头不以为然："这样的树苗哪儿都有，它们算什么宝贝？"

突然，铁蛋发现墙上刻有许多字："后来人：我们这个国家的树木越来越少，风沙越来越大，土地沙漠化加剧，种植树木很难成活。只有这种经过特殊培养的树才不怕风沙，我们给它起名为'沙漠之英'。'沙漠之英'的生长规律是：小苗经过1年可以长成树，一棵树经过1年在它的根部新长出1株小苗，可以把小苗取下重新栽种，成年树每年从根部都长出1株小树苗。现在有一个问题困扰着我们，一棵小树苗经过多少年繁殖，才能超过100棵树？我们这个国家什么时候才能绿树成阴？能帮我们算算吗？”

铁蛋指着墙上的字说：“看见了吗？这1棵被称为‘沙漠之英’的小树苗，就是这个国家的宝贝！”

铜头看完墙上的字，深有感触，说：“咱俩帮他们算算这笔账吧！”

“好！”铁蛋说，“一棵‘沙漠之英’第一年只是1棵小苗，第二年这棵小苗长成了树，第三年树下又长出了一棵小苗，这时就是2棵树了，第四年小苗长成树，而原来那棵树根部又长出新的小苗，这时变成了3棵树……把每年树的棵数依次写出来是：1，1，2，3，5，8，13，21……”

铜头催促说：“你快接着往下算啊！”

铁蛋说：“不用这样一年一年地算啦！我找到它的增长规律了。从第三项开始，每一项都是相

邻的前两项之和。

你看，1 + 1 = 2，1 + 2 = 3，2 + 3 = 5，3 + 5 = 8，5 + 8 = 13，8 + 13 = 21……"

"对极了！第九年是 13 + 21 = 34，第十年是 21 + 34 = 55，第十一年是 34 + 55 = 89，第十二年是 55 + 89 = 144，哈，到十二年就可以超过 100 棵树了！"铜头一口气算出来了。

铁蛋摇摇头说："这里只有 1 棵小树苗，要到第十二年才能繁殖成 144 棵'沙漠之英'，实在是太慢了！"

堆积如山

DUIJIRUSHAN

铜头和铁蛋来到第二间屋子，这间屋子出奇的大，大批被砍伐的大树堆积成等腰三角形的形状，一堆一堆的如同一座座小山。

铜头摇摇头，说："看哪！这么多大树被砍伐了，多可惜啊！"

"如果这些大树还在地上生长，一定是一片茂密的树林！"铁蛋话音未落，屋门"咔嚓"一声自动关上。从门上

垂下一根布条，上面写着："请在3分钟内算出这间屋子里树木的总数，并写在布条下面，门就会自动打开，否则你们将永远留在这间屋子里。"

铜头看完布条就急了，嚷道："这屋里有这么多堆木头，3分钟怎么可能算得出来呢？咱俩非困死在这儿不可！"

铁蛋显得十分沉着，说："这些木头的堆法都一样(下图)，每堆木头同样多，只要算出一堆有多少根木头，木头的总数就容易算了。"

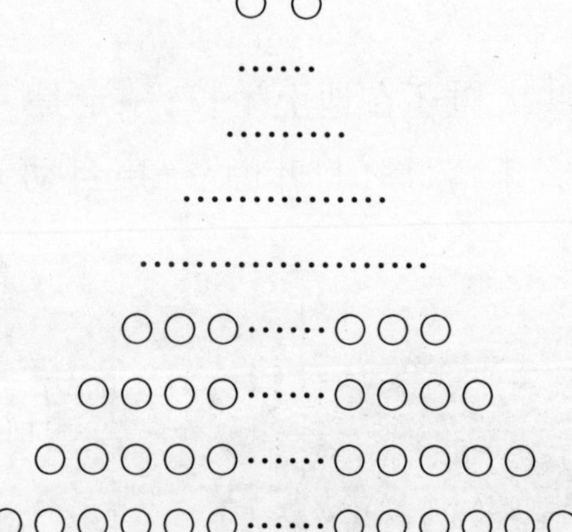

铜头忙说："我来数！"

"慢着！"铁蛋说，"一堆有这么多木头，你一根一根地数，要数到什么时候？"

铜头瞪着双眼，问："你说怎么办？"

铁蛋说："每堆的最上面一层都是一根木头，相邻的两层木头，下面的一层比上面的一层多1根，你数出最下面的一层有多少根木头就行了。"

铜头飞快地数了一遍，说："66根！"

铁蛋说："把这堆木头看成上底为1，下底和高都是66的等腰梯形，它的面积数就是这堆木头的根数。$(1+66)\times 66\div 2=2211$（根），一共12堆，总共是$2211\times 12=26532$（根）。"铜头马上把答案写在布条上，门"呼啦"一声就打开了。

吃草面积

CHICAOMIANJI

铁蛋和铜头刚想走出屋子，屋门上方又落下一根布条，上面写着："记住，大量砍伐树木会使良田变成沙漠！"

走着走着，两人的面前出现一大片空地，他们看见地面上钉了许多木桩，每根木桩上都钉有一个铜环，相邻两根木桩的铜环间穿有一根绳子，绳子的两端各拴着一具羊的

骨架。

铜头好奇地问："他们在玩什么把戏？"

铁蛋没说话，围着这些木桩仔细地查看了一番。他发现，相邻两根木桩的距离都是 20 米，而穿过两铜环的绳长是 30 米，绳子的两端各有一个铜环拴着羊的后腿骨。铁蛋打开铜环，他让铜头拉住绳子的一头，自己拉住绳子的另一头，想研究一下这绳子究竟有什么用。

突然，绳子端的铜环自动关闭，分别把铜头的左手，铁蛋的右手给铐住了。

铜头大叫一声："这是怎么回事？把咱俩当成羊了！"

铁蛋发现铜环上方缠着一根布条，他小心打开布条，上面有字："每根绳子都拴着一只公羊和一只母羊，这样做是为了使它们不相互抢吃对方的草。由于绳子在铜环中可以自由活动，因此公羊和母羊既不能分开，又可以最大限度地吃草。如果你能算出这对羊吃草的最大面积，铜环可自动打开。"

铁蛋说："我用力拉绳子，把你拉到木桩边上，我的最大活动半径是 10 米，面积是 $3.14 \times 10^2 = 314$（平方米），你也可以像我这样做，活动范围和我一样大。所以，这对羊吃草的最大面积是 $314 \times 2 = 628$（平方米）（下图）。"说完把答案写在了布条上。只听"哗啦"一声响，两人手腕上的铜环自动打开了。

两人刚想离开，木桩上放下一根长布条，上写："记住，要保护绿地！过度放养牲畜，破坏了绿地，就会使土地沙漠化，记住我们的惨痛教训吧！"

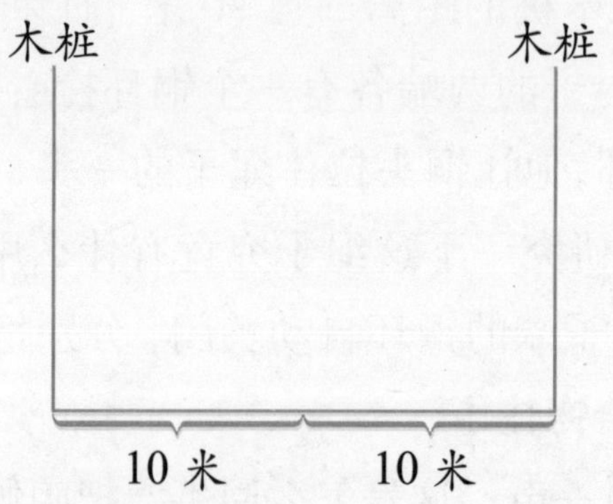

遗产的分法

YICHANDEFENFA

铜头和铁蛋走进一家低矮的农家小院，里面空无一人，东西也已经搬空。

铁蛋摇摇头说："显然这里已无法生活，这家人早搬到别处去了，咱们走吧！"两人刚想出去，大门"咣当"一响关上了。

"这是怎么回事？"铜头正感到奇怪，突然发现门后面贴着一张纸条，上面写着："亲爱的客人：我们这里已经沙漠化，无法生活了，我们全家只好远走他乡。我年老体衰，经过长途跋涉，恐怕活不了多久了。我想把我的猪、牛、羊分给我的三个儿子。我有 9 只羊、7 头猪、5 头牛。论价值，2 只羊可换 1 头猪，5 只羊可换 1 头牛。我想使每个儿子分到的家畜头数一样，而且价值也相同。你能帮我分一下吗？"

铜头看完纸条，深深地叹了一口气："唉，可怜的老人家，临死前还希望把遗产分得公平合理。咱俩就帮帮他吧！羊好分，每个儿子 3 只。猪嘛…… 7 头，这分起来可

能有点麻烦。牛嘛……5头，也不好办哪！”说到这儿铜头不吭声了，用眼睛看着铁蛋。

铁蛋当然明白铜头是什么意思，说：“这有点像整钱换零钱，可以先把牛和猪都换成羊。1头猪可换成2只羊，那么7头猪可换成14只羊，5头牛可换25只羊。这样，老人所有家畜都换成羊是：9 + 14 + 25 = 48（只），平均每个儿子可分到16只羊。”

铜头说：“可总共只有9只羊，没那么多羊可分哪！”

“你别急呀！”铁蛋说，“再算出牲畜的总头数：9 + 7 + 5 = 21，每人应分到7头牲畜。根据每人应分到7头牲畜，而且7头牲畜的价值等于16只羊，便可得出分法：大儿子分1头牛、5头猪和1只羊；二儿子分2头牛、1头猪和4只羊；小儿子分2头牛、1头猪和4只羊。”铜头掐指一算，高兴地说：“行，每个儿子都得到7头牲畜，价值都相当于16只羊。快把这分法记下来吧！”

屋里有鼠

WULIYOUSHU

铜头和铁蛋继续往前走，突然前面一间屋子里传来很大的响声。

“有情况！”铜头紧张地指着那间屋子，脸色都变了。

铁蛋当然也听到了。他抄起一根木棒，说：“不要怕！进去看看！”

“你饶了我吧！”铜头掉头就要走。

铁蛋一把拉住了铜头，说：“勇敢点！不管是什么，咱们都要进去看个究竟。”说完，铁蛋一脚把门踹开，拿着棒子冲了进去。

铜头也跟着冲了进去，他举着木棒转了一圈儿，什么也没看见。

“奇怪呀？明明听到里面有声音，怎么进来什么都没有？”铜头用手摸着自己的头，心里十分纳闷。

铁蛋指着满地的黑粒粒问：“你看这是些什么？”

铜头低头一看，说：“这不是老鼠屎吗？”

突然，一只大老鼠从铜头脚下“噌”的一声穿了过去，

吓得铜头大叫一声。

铜头一回头，发现墙上画着一幅画，画上有房子、老鼠、麦穗、斗，每个图下面都写有一个 9 。铜头问："这是什么意思？"

铁蛋想了想，说："我想这幅画的意思是：这里有 9 间房子里有 9 只大老鼠，每只老鼠一天要吃 9 个麦穗，每个麦穗做种子可以长出 9 斗粮食。让你算一下，这 9 间房子里的老鼠一天会造成多少损失？"

"这个我会算。"铜头说，"损失的粮食为 9 × 9 × 9 × 9 = 6561（斗），呀？六千五百多斗，损失可真不少啊。"

突然，铁蛋向上面一指，说："你看那是什么？"

铜头抬头一看，"妈呀"大叫一声。

蛇和老鼠

SHEHELAOSHU

铜头抬头一看，我的妈呀！从房梁上垂下一条大蛇，蛇还不断地向铜头吐着舌头。铜头最怕蛇，他一看见蛇，一股凉气便从脚后跟一直窜到头顶。

铁蛋安慰说："不要怕，这蛇是逮老鼠的，它在保护这座地下古堡。"

铜头哆哆嗦嗦地说："蛇再好，我也怕它！"

铜头一回身，发现墙角又有一条蛇游来。这条蛇突然一转身，一口咬住一只大老鼠。

铜头赶紧跑到铁蛋的身边，哭丧着脸问："这屋里有多少条蛇呀？"

铁蛋指着墙上的一行算式，说："你算一算就知道了。"

铜头定了定神，看见墙上写着："六位数 2 蛇蛇蛇蛇 2 能被 9 整除，蛇代表一个一位自然数。"

铜头摇了摇头，说："开玩笑！这个算式两头是数字中间是蛇，怎么算呢？"

铁蛋说："我可以肯定，蛇不少于 2 条，因为我已经看

见两条蛇了。”他一边琢磨，一边不断地观察着四周，看看有没有蛇钻出来。

铁蛋说：“2 蛇蛇蛇蛇 2 能被 9 整除，那么各位数字之和也一定能被 9 整除，也就是说 2 + 蛇 + 蛇 + 蛇 + 蛇 + 2 = 4 + 4 ×蛇必然是 9 的倍数。”

“往下呢？”

“由 4 + 4 ×蛇 = 4 ×(1 + 蛇)，可知 1 + 蛇必是 9 的倍数。又由于蛇是一位数，所以1+蛇 = 9，蛇 = 8。”

“啊！有 8 条蛇哪！快走吧！”铜头拉着铁蛋就走。

掉进陷阱

DIAOJINXIANJING

铁蛋对铜头说:“人类如果乱砍滥伐树木,任意破坏绿地,使良田沙漠化,那就是自己毁灭自己!”

铜头点点头说:“这里原来是人类的乐园,现在却成了老鼠和蛇的天堂,想起来真可怕!”两人来到了一块空地,空地的中央放着铁锹、铁镐、水桶等工具。

铜头高兴地说:“这里有种树的工具,咱俩种几棵树吧!”说完就往空地中央跑去。谁料想,没跑几步,只听“扑通”一声响,铜头掉进陷阱里去了。

“铁蛋救救我!”铜头在陷阱里一个劲儿地叫喊。铁蛋也很着急,他想找一条绳子,把铜头拉上来。

铁蛋一抬头,看见一根木头杆子的上方挂着一盘绳子,可是铁蛋不会爬树,铜头会爬树,但是他在陷阱里哪!铁蛋围着木头杆子转了三圈儿,忽然发现木头杆子上贴着一张纸条,上写:“后来人:你的同伴掉进了我们挖的陷阱里,请不要着急。你如果能把我们遇到的一道难题解出来,绳子会立刻掉下来。”

纸条上的题目是：我们三个人每人要种 100 棵树，每人种的树都是柳树、杨树和松树。有趣的是，每人种的这三种树的棵数都是质数，而且每人种的柳树的棵数相同，种杨树和松树的棵数各不相同。我们三人每人种的这三种树各是多少棵？

铜头在陷阱里问："题目难吗？不难的话，你把它扔下来，我来做。"

"不算难。"铁蛋说，"每人各种这三种树 100 棵，而这三种树的棵树都是质数，可以肯定其中必有一个是偶数，2 是质数中惟一的偶数，因此，他们每人都种了 2 棵柳树，剩下两个质数之和是 98 。"

"我做出来啦！ 19 + 79 = 98 ，其中一个人种的三种树是 2 ，19 ，79 棵。"铜头坐在陷阱里也不闲着。

铁蛋把另外两个人种的棵数算出来了。他说："第二个人种了 2 ，31 ，67 棵；第三个人种了 2 ，37 ，61 棵。"铁蛋拿出笔，把答案写在纸条下面。

"哗啦" 一声，木头杆子上的绳子掉了下来。铁蛋把绳子的一头放进陷阱，另一头捆在木头杆子上，铜头顺着绳子爬了上来。

难摘的猎枪

NANZHAIDELIEQIANG

铜头爬出了陷阱，直喊肚子饿。其实铁蛋也是又渴又饿，可是在这沙漠古城里，到哪儿去找吃的喝的？铁蛋安慰铜头说，再往前走走也许能弄到点吃的。两人又继续往前走。

突然，铜头指着前面的一间屋子说："看，那间屋子里有枪！"

"有枪？"铁蛋紧走几步，进屋一看，墙上挂着好几支猎枪。铁蛋高兴地说："有了枪，咱俩可以打点野味吃。"说完就去摘枪，可是怪了，这枪硬是摘不下来。铜头上前帮忙，也无济于事。

铜头绕着屋子转了一圈儿，想找一找有什么机关没有。突然，他发现墙上有一个拉环，旁边写着几行字："我们这儿有一个猎手班。如果全体猎手排成一行从左到右 1 至 3 报数，那么，最右边的一个人恰好报 3 。这时，凡是报 3 的人都向前迈一步，得到新的一行。新的一行再从左到右 1 至 3 报数，最右边的人报了 1 。让新的一行报 3 的人向前迈一步，结果只有两个人站了出来。你知道我们猎手班有多少人吗？如果你拉动拉环的次数和猎手班的人数一样多，就可以摘下墙上的猎枪。”

铜头摇摇头说：“我真想把这个数算出来，无奈肚里无食，头脑发昏，四肢无力，还是你来算吧！”

铁蛋笑了笑说：“你可真会耍赖！因为新的一行最右边的一人报了 1，说明这一行的人数被 3 除余 1。又因为这一行报 3 的只有两人，所以，新的一行有 $3 \times 2 + 1 = 7$（人）。”

“噢，我明白了。”铜头说，“最开始一行最右边的人恰好报 3，说明原来的人数能被 3 整除。所以，这个猎手班一共有 $3 \times 7 = 21$（人）。”说完铜头用力拉动拉环 21 次，“哗啦”一声，墙上的猎枪全掉下来了。

铜头拿着猎枪高兴地喊：“哈，我们有枪啦！”

BUNENGE'SI 不能饿死

铁蛋和铜头每人扛着一支猎枪，到处寻找可吃的东西。他俩发现一只大箱子，上写“食品贮藏箱”。

铜头一拍大腿，高兴地说：“真是天无绝人之路！我正饿得要死，嘿，这儿就出现了食品贮藏箱。打开它，咱俩饱餐一顿！”说完就去开箱，费了好大的劲才打开。

铁蛋从食品贮藏箱里拿出一张纸条，纸条上写着：“食品贮藏箱中的食品被 4 位探险家带走了，出发时他们每人带走了 5 天的口粮，他们可以一起向前走两天半（还有两天半的口粮用于返回原地）。由于目的地比较远，而带的口粮又不够，经过商议后，他们提出一种新的方法：每走一天就让一个人先返回原地，剩下的一部分口粮让给其他伙伴，这样可以让其中的一个人走得更远，而所有人又都能返回原地。如果你能算出走得最远的人能走出几天，你就按着那个天数往前走几个房间，那里有他们备用的食品。否则，你们将饿死！”

“啊，饿死！这太可怕啦！”铜头摇摇头说，“铁蛋，为了不被饿死，咱俩一定要把这个天数算出来！不过，这个问题真够扰人的。”

铁蛋说：“再扰人也得算呀！咱们一个人一个人地推算：第一个人返回时，余下了 3 天的口粮。”

铜头忙说：“不对呀！每人带 5 天的口粮，第一个人只走了 1 天就回去了，应该余下 4 天的口粮，怎么变成 3 天了，那 1 天的口粮是不是让你偷吃啦？”

“冤枉，冤枉。”铁蛋解释，“每一个人回到原来的出发点，还需要 1 天，返回这 1 天也要吃粮食啊！”

“对，对。往回走也要吃粮食。”铜头一个劲拍自己的头。

铁蛋接着算：“第二个人返回时余下了一天的口粮；第三个人返回时多用了一天的口粮；这样，第四个人除了自

己带的 5 天口粮外，还多出 3 天口粮，合起来是 8 天的口粮，考虑返回，这个人最远能走出 4 天。”

“哈，往前数 4 个房间，就可以找到吃的啦！”铜头顿时来劲儿了，他跑出房间，1、2、3、4 数到第四个房间，迫不及待地推门跑了进去，进门就四处乱找，终于在墙角处找到一个很小的盒子，盒子上写着：“食品备用箱”。

铜头拿着这个小盒子，哭丧着脸说：“就这么一个小盒子，里面的食品别说是咱俩吃，还不够我一个人塞牙缝的呢！”

铁蛋说：“先打开看看。”

铜头打开一看，里面装的是压缩饼干。

铜头又高兴了，说：“你别看这压缩饼干小，吃进肚子里，胃液一泡就膨胀，挺管用的。”说完拿出几块放进嘴里，连嚼都来不及嚼，一抻脖子就咽进肚子里去了。

铁蛋说：“你慢一点儿，留神噎着！”铁蛋的话还没说完，铜头已经被压缩饼干噎得直翻白眼。

水管出水

SHUIGUANCHUSHUI

铜头贪吃压缩饼干，被饼干噎住了。现在最要紧的是找到水，可是在这沙漠古城到哪里去找水啊？急得铁蛋在屋里团团转。

突然，铁蛋在墙上找到一根水管。铁蛋想：“这水管里会不会有水呀？”他跑过去仔细一看，发现水管的上方有一行字和 10 个格子，上写：“下面的 10 个格子表示一个十位数，这个数相邻三个数字之和都等于 15，请算出△等于几，△等于几，就按△几下，水管可以流出水来。”

△									7

“铁蛋你快弄点水来呀！噎死我了。”铜头在痛苦地呻吟着。

铁蛋头上的汗都下来了，他安慰铜头说：“你别着急，水这就出来了。”铁蛋迅速思考这个问题，他想：“最右边的 3 个数字之和等于 15，从右往左数第 2，3，4 位数字之和也等于 15，由于第 2，3 位上的数字没变，所以第 4 位数字一定也是 7。按这样的规律三位三位地往左移，

可以知道最左边的数字一定也是 7。”

铁蛋赶快把△按了 7 下，说也奇怪，水管里真的流出水来了。铜头嘴对着水管子，“咕咚、咕咚”猛喝了一阵儿。

铁蛋说：“咱俩赶快离开这儿，不然的话，真要困死在这儿了！”

铜头抹了一把嘴上的水珠，说：“谁不想赶紧离开这个鬼地方！可是怎样出去呀！”

突然，他俩听到前面有人叫他们：“铁蛋、铜头，快跟我来！”

铜头慌忙端起猎枪，吃惊地说："这是谁在叫咱们俩？不会是鬼吧？"

铁蛋镇静地说："我听这声音，像是咱们旅游团的向导。"话音未落，旅游团的向导王叔叔带着两个人迎着他俩走来，铜头立刻扑到王叔叔的怀里，放声大哭。

王叔叔笑着对他俩说："哭什么？这个沙漠古城是我们给青少年安排的一个旅游项目。这里的一切都是我们修建的，目的是让青少年接受一次环境保护的教育，锻炼你们的品质和意志。怎么样，很逼真吧！让你们受苦了！"

铜头把头一扬，说："哼，我怎么觉得有点假呢！"

铁蛋向铜头做了一个鬼脸，说："才哭过鼻子，又开始吹牛啦！"

图书在版编目(CIP)数据

彩图版数学小眼镜/李毓佩著.—武汉：湖北少年儿童出版社,2009.3
（李毓佩数学故事系列）
ISBN 978-7-5353-4411-3

Ⅰ.彩… Ⅱ.李… Ⅲ数学—少年读物 Ⅳ.01-49

中国版本图书馆CIP数据核字（2009）第028635号

书　　名：数学小眼镜
主　　编：李毓佩
出版发行：湖北少年儿童出版社
业务电话：027-87679199　027-87679179
网　　址：http://www.hbcp.com.cn
电子邮件：hbcp@vip.sina.com
承 印 厂：武汉福海桑田印务有限责任公司
经　　销：新华书店湖北发行所
印　　数：218 001-226 000
印　　张：6
印　　次：2009年3月第1版　2018年7月第17次印刷
规　　格：880×1230mm　1/32
书　　号：ISBN 978-7-5353-4411-3
定　　价：14.80元